Najpiękniejsza historia świata

Brunonowi Majorano:
przeszłość i przyszłość*
babcia Natalia

* W tekście polskim imię Bruno zastąpiono imieniem Piotr.

Wydawca

Natalia Forte

Najpiękniejsza historia świata

EWANGELIA OPOWIEDZIANA PRZEZ BABCIĘ

Ilustracje: Cosimo Musio

ŚWIĘTY PAWEŁ

Tytuł oryginału:
La storia più bella del mondo.
Il Vangelo raccontato dalla nonna

© Copyright by EDIZIONI SAN PAOLO, 1995
© Copyright for the Polish edition EDYCJA ŚWIĘTEGO PAWŁA, 1996

Tłumaczenie:
Hanna Cieśla

Opracowanie graficzne:
GianPietro Scaglioni

Opracowanie redakcyjne:
Ewa Lewandowska

Opracowanie techniczne:
Robert Owczarek

ISBN 83-85438-54-8

EDYCJA ŚWIĘTEGO PAWŁA
ul. Siwickiego 7
42-221 Częstochowa
tel. (034) 620.689, fax (034) 620.989

Druk: Societá San Paolo, Rzym, Włochy

Może opowiesz mi bajkę?

Piotruś ma sześć lat. Jest synem mojego syna, moim pierwszym i – jak dotychczas – jedynym wnuczkiem. Powierzono mi go na parę dni, gdyż jego rodzice wyjechali na urlop.

Jego obecność w domu przewraca do góry nogami moje życie, ale jednocześnie ożywia je w cudowny sposób.

To pierwszy wieczór, który spędza u mnie. Dopiero co położyłam go do łóżka.

– O czym mi opowiesz? – zapytał o to już wcześniej, podczas nieuchronnego rytuału odrywania go od telewizora, mycia zębów, wkładania piżamy, odmawiania modlitwy.

– Nie wiem, co byś chciał – powiedziałam.

– Chcę, żeby to było coś pięknego – wyjaśnia mi teraz, a jego oczy patrzą na mnie z błyskiem oczekiwania. Lubię opowiadać historie, tyle mu już opowiedziałam, od kiedy się urodził.

– Chcesz bajkę o Czerwonym Kapturku?

– Już mi ją ze sto razy opowiadałaś.

– O krasnoludkach i sierotce Marysi?

– Oj, babciu, to też już tyle razy słyszałem. Chcę zupełnie nowe opowiadanie. Ale żeby było najpiękniejsze – dodaje.

5

Rozglądam się na boki, szukając natchnienia.

– Opowiem ci o Jasiu i Małgosi.

Słodkie oczka są pełne niezadowolenia.

– Już to znam, a poza tym to wcale nie jest piękne.

– Może więc o Robin Hoodzie?

– Nie.

– Pinokio?

– Nie.

– O Kocie w butach? To ładne opowiadanie.

– Nie.

– Piotruś Pan?

– Nie.

– Piękna i bestia?

– Ojej! – parska. – Nie rozumiesz, że chcę, żebyś mi opowiedziała najpiękniejszą historię na świecie?

Gdy wypowiada te słowa, przychodzi mi do głowy pewna myśl.

– Czy nie ma jakiegoś opowiadania piękniejszego od wszystkich innych? – pyta.

– Owszem, jest.

Moja odpowiedź uspokaja go.

– A więc opowiedz mi.

– To historia Jezusa, żydowskiego dziecka.

Czekam, aż mi powie, że ją zna albo że mu się nie podoba, ale on nic nie mówi, tylko wybałusza oczy, gotów do podróży w krainę fantazji.

– To historia o miłości, bo opowiada nam, jak Jezus kochał ludzi.

– Także tych małych?

– To znaczy dzieci? Tak, Jezus kochał dzieci.

– A złych? Czy kochał także złych ludzi?

– Kochał ich, można powiedzieć, bardziej od wszystkich innych. To za nich umarł.

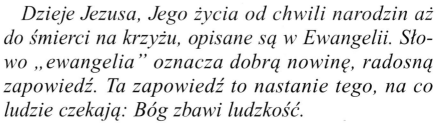

Dzieje Jezusa, Jego życia od chwili narodzin aż do śmierci na krzyżu, opisane są w Ewangelii. Słowo „ewangelia" oznacza dobrą nowinę, radosną zapowiedź. Ta zapowiedź to nastanie tego, na co ludzie czekają: Bóg zbawi ludzkość.

– Musisz mi opowiedzieć całą historię, od początku do końca.

– To historia, która zdarzyła się prawie dwa tysiące lat temu, w dalekim kraju zwanym Palestyną.

– To dalej niż Zakopane, gdzie spędzamy wakacje?

– Tak, dużo, dużo dalej. Można tam dostać się tylko statkiem albo samolotem.

– No, to zaczynaj, babciu – Piotruś ponagla mnie z niecierpliwością.

Zaczynam. Opowiadam mu swoimi słowami najpiękniejszą historię świata, która przed wiekami zdarzyła się naprawdę.

– Był sobie raz – rozpoczynam. – Nie, nie tak...

Najpiękniejsza historia

Ciemność pełna światłości

tak to się wszystko zaczęło. Na początku Bóg już był. Zawsze istniał i stworzył świat: niebo i ziemię, góry i morza, światło i ciemność. Gdy już stworzył ten cudowny świat, zadał sobie pytanie, kto się będzie tym cieszyć. I wymyślił człowieka.

Wziął bryłę gliny i wymodelował postać mężczyzny. Tchnął w nią Bożym oddechem i mężczyzna ożył, stał się mądry, wrażliwy i obdarzony nieśmiertelną duszą. Gdy mężczyzna usnął, z jego żebra Bóg stworzył kobietę. Mężczyzna ten i kobieta to byli Adam i Ewa, dziadkowie wszystkich ludzi.

Ustanowił ich panami Raju, wspaniałego ogrodu, w którym były szemrzące strumyki i bujne drzewa o gałęziach obsypanych słodziutkimi owocami.

Adam i Ewa mogli mieć wszystko, co było w ogrodzie, z wyjątkiem owoców z jednego drzewa, które Bóg zarezerwował dla siebie. To było bardzo niewielkie wyrzeczenie.

Lecz w Raju był też diabeł, który zazdrościł Adamowi i Ewie miłości Bożej. Namówił on Ewę, by zerwała owoce z zakazanego drzewa, a ona go posłuchała. Zerwała owoc, zjadła go do spółki z Adamem i w ten sposób popełnili oni pierwsze wykroczenie, pierwszy na świecie grzech.

Jak wielka była Boża boleść! Obdarzył tych dwoje wszelkimi darami, dał im zdrowie, szczęście i bogactwo, czemu więc Go nie posłuchali? Wygnał ich z Raju i wtedy Adam i Ewa poczuli, co to ziąb, zmęczenie, wstyd, głód, strach. Odczuli także stokroć gorsze cierpienie: świadomość, że stracili miłość Boga.

Drżeli, nieszczęśliwi i bardzo osamotnieni, i wtedy Bóg zlitował się nad nimi. To prawda, nie usłuchali Go i ponieśli za to słuszną karę. Lecz zbyt mocno ich kochał, dlatego zapragnął im pomóc.

Bóg wiedział, że tak ciężka wina będzie wymagała odpowiedniego zadośćuczynienia. Postanowił pomóc ludziom i zdecydował, że Jego Syn także stanie się człowiekiem.

Oczywiście tego dnia Jego serce było pełne bólu, gdy wpisywał w historię ludzkości dzieje człowieczej postaci swego jedynego Syna i Jego śmierci. Spojrzenie Boga poszybowało przez wieczność, by w pewnej chwili zatrzymać się na pięknej i łagodnej Marii z Nazaretu. Promieniowała z niej tak wielka światłość, że nawet sam Bóg poczuł ciepło.

Ta dziewczyna jednała ludzi z Nim i to ona przyczyni się do ich zbawienia. Zostanie matką Jego Syna.

Aby Syn ten mógł się narodzić, trzeba było czekać całe tysiąclecia. Gdy Jezus się narodził, był rok 753 ery rzymskiej. Rzym stał u szczytu swej potęgi, a cesarzem był wówczas August. Palestyna zajęta była przez Rzymian, a rządy sprawował w niej niejaki Kwiryniusz.

W owym roku cesarz zarządził spis ludności. Każdy miał się udać do miejsca, z którego pochodziła jego rodzina, aby spisano jego dane osobowe.

Niech mi się stanie

Józef, cieśla z Nazaretu, należał do rodu Dawida i pochodził z Betlejem. Wyruszył zatem z Galilei, gdzie mieszkał, w długą drogę. Razem z nim pojechała świeżo poślubiona żona Maria, która niebawem miała urodzić dziecko.

Józef martwił się. Osiołek kroczył powoli, objuczony podwójnym ciężarem – kobiety i jej dziecka. Co pewien czas Maria zaciskała mocno usta, jakby chciała powstrzymać jęk, a Józef cały drżał.

– Źle się czujesz? – pytał. Ona zaś uśmiechała się tylko, a w oczach miała tajemniczy blask.

Był grudzień. Osiołek szedł przez góry Samarii, a jego powolny krok skłaniał Marię do wspomnień.

„Minęło prawie dziewięć miesięcy, od kiedy oczekuję dziecka" – liczyła. Czas ten wydał się jej dłuższy, być może dlatego, że życie jej tak bardzo się zmieniło.

Znów w sercu zadała sobie to samo pytanie: „Czemu wybrałeś właśnie mnie, Panie?". Pytanie to wywołało uczucie wdzięczności, niedowierzania i wielkiej radości, która nie opuściła jej ani razu od tamtego dnia sprzed dziewięciu miesięcy. Podobnie jak wtedy, powtórzyła w myśli: „Niech mi się stanie według Twego słowa".

Były to słowa wypowiedziane w małym domku, w którym mieszkała w Nazarecie, kiedy ukazał się jej anioł Pański.

– Bądź pozdrowiona – przywitał ją anioł. – Pan z tobą.

Poczuła uderzenie w piersi, tak jakby naprawdę Pan wszedł w nią ze słodką i niepohamowaną gwałtownością. Może już od tej pierwszej chwili wszystko pojęła, może nie było potrzeby wyjaśniać, lecz anioł mówił dalej.

– Poczniesz Syna, wydasz Go na świat i nazwiesz Jezus. Będzie wielki, a królestwo Jego będzie nieskończone.

Maria znała Święte Księgi ojców. Znała proroctwo o kobiecie, która pomoże Bogu zbawić świat.

Myśl, że to ona, właśnie ona mogłaby być tą kobietą, nigdy jej nawet nie zaświtała w głowie i wydawała się niemożliwa.

Próbowała się bronić.

– Nie mogę począć dziecka. Nie miałam nigdy mężczyzny... – Jej narzeczony, Józef, taki czuły i pełen dla niej szacunku, nie musnął jej nawet pocałunkiem. Anioł przytaknął.

– Duch Święty zstąpi na ciebie. To On sprawi, że poczniesz w swym łonie Syna.

Spełniało się proroctwo. „Wprowadzę nieprzyjaźń między ciebie a niewiastę!" – krzyczał Bóg na węża w rajskim ogrodzie. – „I wszyscy ludzie nazwą ją błogosławioną".

W tej samej chwili, w której Maria doznała tak wielkiej radości, pomyślała o Synu, którego będzie miała, i o bólu, jaki jest jej przeznaczony.

Pomyślała o Józefie, o odpowiedzialności, jaką obarczył ją Bóg. Czy jej mąż zechce wraz z nią dźwigać tak wielką odpowiedzialność?

Potem poczuła spokój i całkowitą ufność. Rezygnowała z samej siebie, powierzała się Bogu.

– Oto ja, służebnica Pańska – wyszeptała – niech mi się stanie według Twego słowa.

Anioł, by udowodnić Marii, że Bóg może dokonać rzeczy niemożliwych, rzekł jej, że Elżbieta, żona Zachariasza, daleka krewna, która nie mogła mieć dziecka, teraz spodziewa się syna.

Zachariasz i Elżbieta mieszkali daleko, w górzystej części Judei. Maria chciała ich odwiedzić. Bała się, że to wszystko jej się przyśniło. Może anioł Pański był tylko snem, złudzeniem?

Ale Elżbieta naprawdę była brzemienna i gdy Maria weszła do jej domu, stara kobieta uklękła przed nią, a dziecko poruszyło się radośnie w jej łonie.

– Błogosławiona jesteś między niewiastami – powitała ją – i błogosławiony owoc twojego łona, Jezus.

Maria została trzy miesiące w domu swych krewnych, a następnie wróciła do Nazaretu, do Józefa.

Miłość zawsze zwycięża

Początkowo Józef miał straszne wątpliwości. Kochał z całego serca Marię, kochał jej urodę, a jeszcze bardziej jej łagodność, powściągliwość, powagę.

Poczuł cios, gdy dowiedział się, że Maria spodziewa się dziecka. To Dziecko nie było jego, on przecież nie ośmielił się nawet zbyt długo na nią spoglądać, by nie czuła się zmieszana, choć tak bardzo ją kochał.

W tamtych czasach okrutnie karano kobiety, które łamały obietnice małżeńskie. Można je było nawet ukamienować.

Józef nie chciał, by jego ukochana poniosła taką karę, choć przecież nie była już jego dziewczyną. Zdecydował zatem, że odeśle ją do rodziców, Anny i Joachima, nie podając powodów.

Lecz zanim to uczynił, ukazał mu się we śnie anioł, który mu wyjawił, że Syn, którego oczekuje Maria, poczęty został za sprawą Ducha Świętego. Józef natomiast ma zostać ojcem zastępczym: miłości Józefa Bóg powierzał swego Syna, jak również Jego matkę.

Józef zadrżał. Oczywiście, był szczęśliwy, że Maria zasługuje na jego szacunek i uczucie, lecz jednocześnie zdawał

sobie sprawę, że przyjmując ją i jej Dzieciątko godzi się na niezwykły i zarazem straszliwy los, który przyniesie mu wiele radości, ale też wiele bólu. Ale i on także pochylił głowę, przyjmując wolę Bożą i poddając się miłości.

Teraz byli w drodze do Betlejem, gdyż taki ciążył na nich obowiązek względem państwa, choć chwila narodzin była bliska, a bóle mogły rozpocząć się w każdej chwili.

Król królów przychodzi na świat w stajence

Usta Marii coraz częściej wykrzywiały się i wydawały jęki, jej oczy mocno błyszczały, twarz była blada.

Do Betlejem było już niedaleko, lecz zbliżał się wieczór i robiło się coraz zimniej. Jak poradzą sobie w chwili porodu sami, bez pomocy bliskich, bez żadnego przyjaciela?

– Już prawie jesteśmy – Józef próbował pocieszyć Marię. – Zatrzymamy się w pierwszej napotkanej gospodzie.

Lecz w pierwszej gospodzie nie było miejsca, nie było go też i w drugiej, i w żadnym zajeździe ani nigdzie indziej, gdzie się zatrzymywali. Osiołek szedł dalej, również zmęczony. Zapadła już noc. Na szczęście świecił księżyc.

Jego promień wskazał wejście do czegoś na kształt groty.

– Zatrzymajmy się tutaj – poprosiła Maria. – Proszę cię, Józefie, zostańmy tu.

Nie miała już siły. Bóle stawały się coraz silniejsze. Nie bała się, chciała jak najszybciej wydać na świat Dzieciątko.

Tak bardzo pragnęła Je ujrzeć, pogłaskać, przytulić do piersi. Józef był przygnębiony. To on miał czuwać nad Dzieckiem. Jak mógł pozwolić, by narodziło się w stajni, w zimnie, bez żadnej pomocy, bez żadnych sprzętów domowych?

Wziął się jednak ochoczo do roboty i zebrał trochę siana, którym żywiły się zwierzęta, a następnie przygotował z niego posłanko.

Tam, w tak skrajnym ubóstwie, przyszedł na świat Król królów, Zbawiciel świata, Mesjasz, na którego ludzkość czekała od tysiącleci.

Maria obmyła Dzieciątko wodą z bukłaka, owinęła Je w lniane pieluszki, które zabrała ze sobą z domu i spróbowała nakarmić.

Tymczasem obok osiołka stanął wół i oba zwierzęta z zaciekawieniem przyglądały się Dzieciątku. Biedactwo trzęsło się z zimna.

Wół i osiołek wiedzione instynktem ogrzewały Je swym oddechem, a Józef i Maria z zachwytem Mu się przyglądali.

Światłość rozświetla noc

Pasterze, pasący trzody na pobliskich wzgórzach, ujrzeli nagle na nocnym niebie promieniejący blask.

Zadrżeli ze strachu i rzucili się na ziemię, bo wszystko, co nie jest normalne, przeraża, a nigdy dotąd, nawet w dzień, nie widziano tak oślepiającego światła.

Lecz oto ukazał się anioł i strach ich wnet zamienił się w wielką radość.

Anioł obwieścił narodziny Zbawiciela. Zastępy niebieskie przepełniły noc cudownymi śpiewami: „Chwała na wysokości Bogu, a na ziemi pokój ludziom dobrej woli".

Jakże szczęśliwi byli pasterze! Choć byli biedni, prości, Bóg właśnie im pierwszym zwiastował radosną nowinę: narodził się Mesjasz.

Nie naradzając się wcale, podjęli jednocześnie taką samą decyzję, pobiegli do Betlejem i gdy weszli do stajenki i ujrzeli Dzieciątko, uklękli przed Nim i oddali Mu pokłon.

Maria była bardzo wzruszona i zdziwiona. Spoglądała na Dzieciątko, takie maleńkie, takie jej własne i jednocześnie zdawała sobie sprawę, że wcale do niej nie należy, a hołd pasterzy i ten chór niebiański, który wypełniał noc, były tego potwierdzeniem.

„Chwała na wysokości Bogu, a na ziemi pokój ludziom dobrej woli".

Anielski chór wywołał efekt usypiający również w przypadku małego Piotrusia. Słodko zasnął.

Gaszę światło. Kto wie, czy jutro będzie pamiętał opowieść, którą dopiero co zaczęliśmy, kto wie, czy będzie chciał słuchać dalszego ciągu?

Następnego ranka budzi mnie przenikliwy głosik.

— Na Boże Narodzenie chcę się zmienić — krzyczy.

— Nie będę się więcej złościł ani kaprysił i będziecie musieli przyznać, że troszeczkę jestem podobny do dobrego Jezuska.

Idę do jego pokoju. Oczywiście dzieło przemiany jeszcze się nie rozpoczęło. W pokoiku wszystko jest porozrzucane, a rytm wierszyka, który recytuje, wybija, rzucając każdym przedmiotem, który się do tego nadaje.

Jest wesolutki.

— To nie jest Boże Narodzenie — uspokajam go, usuwając mu z drogi pluszowego niedźwiadka.

— W opowiadaniu, które było wczoraj, jest Boże Narodzenie, nie pamiętasz? Urodził się Jezus w stajence w Betlejem. Opowiesz mi dalej? Teraz.

– Teraz nie mogę; musisz iść do szkoły. Opowiem ci wieczorem.

– Pamiętasz, gdzie skończyliśmy?

– Pamiętam doskonale. Pasterze pobiegli oddać pokłon Dzieciątku, a aniołowie śpiewali w niebie.

Rana rozdzierająca serce

Kolejne potwierdzenie, że Dziecko jest wyjątkowe, nastąpiło w parę dni potem, gdy Maria, jak każe tradycja, zaniosła Je do świątyni, by poświęcić Panu.

Podszedł do nich sędziwy kapłan zwany Symeonem, znany ze swej mądrości i świątobliwości. Pobłogosławił Dzieciątko i rodziców gestem pełnym spokoju i słodyczy, a także skrywanego bólu. Przyglądał się Marii oczami przepełnionymi smutkiem.

– Teraz mogę już nawet umrzeć – wyszeptał cicho Symeon. – Poznałem Mesjasza – jego wzrok nie opuszczał twarzy Marii. Wydawało się, że poprzez oczy chce dotrzeć do duszy, do serca i przebić je jak mieczem.

– Miecz przebije ci serce – oznajmił jej i widać było, że także i on cierpiał, gdy wymawiał te słowa.

„To nieważne" – myślała Maria. – „Mogłoby mi przebić serce nie jeden, a tysiąc mieczy, gdybym tylko mogła oszczędzić mojemu Jezuskowi ukłucia choćby jednej szpilki". Wiedziała jednak, że nic dla Niego nie może zrobić, gdyż los Jego spleciony był z losem całego wielkiego świata. Mogła jedynie modlić się słowami, jakie rzekła do anioła: „Oto ja, służebnica Pańska, niech mi się stanie według Twego słowa".

Uśmiech gwiazdy

Maria odczuła po raz kolejny ból i dumę, gdy ze Wschodu przybyli Trzej Królowie: Kacper, Melchior i Baltazar. Uklękli przed Dzieciątkiem, składając Mu hołd. Następnie, otworzywszy żelazne skrzynie, ofiarowali Mu cenne dary: złoto, kadzidło i mirrę.

Maria czuła się zawstydzona, że jej malutkiemu Synkowi oddają hołd tak ważne osobistości, przybyłe z bardzo odległych stron.

Trzej Królowie dowiedzieli się o narodzinach Jezusa, gdyż ukazała się im gwiazda. Widzieli, jak się porusza po niebie i szli za nią. Gdy doszli do Jerozolimy, nie ujrzeli jej więcej. Udali się zatem do króla Heroda, aby zapytać, gdzie jest żydowski król, którego narodziny obwieściła gwiazda.

Zawrzało okrutne serce Heroda. Dziecko, według słów przybyłych ze Wschodu królów, dopiero co się narodziło.

Herod obawiał się o swoją władzę i zapragnął pokonać to Dziecko zanim jeszcze urośnie, teraz, gdy było zaledwie maleńką drobinką życia. Przecież to on, Herod, był królem Żydów i nikt nie miał prawa odbierać mu władzy.

– Szukajcie tego Dziecka – rozkazał Trzem Królom. – Potem, w drodze powrotnej, przyjdźcie do mnie i wskażcie mi miejsce, w którym się znajduje. Także i ja chcę oddać Mu pokłon – skłamał.

Ale Trzej Królowie, uprzedzeni przez anioła, powrócili inną drogą i Herod niczego od nich się nie dowiedział.

Wściekłość Heroda

Gniew króla był tak wielki jak jego strach. Podczas bezsennych nocy wyobrażał sobie żydowskiego króla, innego niż on, kochanego i bardzo silnego, i zdawało mu się, że on, Herod, umrze z wściekłości i zawiści.

Snuł się jak obłąkany po komnatach pałacu i ani przez chwilę nie przestawał myśleć o Dziecku, którego narodziny obwieściła Trzem Królom gwiazda na niebie.

Pewnej nocy, gdy zadręczał się bardziej niż zwykle, zrodziła się w jego sercu okrutna myśl. Nic nie wiedział na temat tego Dziecka, jedyną pewną informacją była ta, że według proroctw miało narodzić się w Betlejem.

Zgładzi Je. Każe pozabijać wszystkie dzieci urodzone w tym okresie w Betlejem i okolicy i w ten sposób będzie pewien Jego śmierci.

Rozkaz króla został wykonany z wielkim okrucieństwem. Ulicami Betlejem popłynęła krew, wypełniły je krzyki i lamenty zrozpaczonych mam i tatusiów.

Zabito wiele biednych, niewinnych dzieci, ale Jezusa wśród nich nie było.

Bowiem we śnie anioł ukazał się Józefowi, ostrzegł przed niebiezpieczeństwem i nakłonił do ucieczki.

– Weź ze sobą Dziecko i Jego matkę i uciekaj – polecił anioł. – Idź do Egiptu, tam będziecie bezpieczni.

Maria czuła się bardzo zmęczona, ale było to zmęczenie spowodowane strachem. Jej Dzieciątko, choć tak małe, było już tak prześladowane!

Drżała na samą myśl, że żołnierze Heroda mogliby ich zatrzymać, zobaczyć Jezusa i Go zabić.

A On spał spokojnie w ramionach mamy, kołysany biciem jej serca i miarowym krokiem osła, podczas gdy Maria i Józef nocą nasłuchiwali z trwogą każdego szmeru i hałasu.

Wszędzie byli żołnierze Heroda. Co pewien czas dostrzegali w ciemności jakiś oddział i zatrzymywali się, chowając się za drzewo albo za krzaki. W takich momentach serce Marii biło jak oszalałe.

Ale Bóg najwidoczniej ich chronił, gdyż przybyli cali i zdrowi do Egiptu i tam przez parę lat żyli bezpiecznie.

Oczywiście bardzo odczuwali brak krewnych, przyjaciół, tęsknili za domem i za swoim krajem, ale za to byli pewni, że nie dosięgnie ich tu nienawiść Heroda.

Dopiero gdy anioł ukazał się Józefowi i oznajmił o śmierci Heroda, zebrali się na odwagę, by wrócić do Nazaretu.

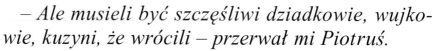

– Ale musieli być szczęśliwi dziadkowie, wujkowie, kuzyni, że wrócili – przerwał mi Piotruś.

Nie wydaje mi się, by w Ewangelii była na ten temat mowa, ale nie chcę wnuczka rozczarować.

– Byli niezwykle szczęśliwi – zapewniam. – Józef pracował jako cieśla, a Maria dbała o niego, o ich domek i oczywiście o Jezusa, który był dla niej najważniejszy. Jezus był bardzo grzecznym Dzieckiem.

– Zawsze słuchał rodziców?

– Tak, zawsze.

Przez buzię Piotra przemknął cień rozczarowania.

Nie chciałabym, by zbyt doskonały wizerunek Jezusa stał się przez to mniej sympatyczny.

– Ale za to lubił się śmiać i żartował jak wszystkie dzieci na świecie – zmyślam. – Grał w piłkę i w kółko, był wesoły i zabawny. Czasami także robił kawały swoim kolegom.

– Na przykład?

– Pewnego razu paru Jego kolegów ulepiło z gliny bardzo ładne ptaszki.

– Wtedy nie było jeszcze plasteliny – z mądrą miną wtrąca Piotruś.

– Tak, ale i te z gliny wyglądały pięknie. Dzieci zawołały Jezusa i z dumą pokazały Mu ptaszki. „Wyglądają jak żywe, prawda?" – zapytały. – „A co, nie są żywe?" – udał zdziwienie Jezus. Zrobił gest ręką i gliniane ptaszki pofrunęły. Wyobrażasz sobie, jak zdumieni byli koledzy? Ale Jezus tak się śmiał, że wybuchnęli śmiechem także i oni.

Mój wnuczek również się chętnie śmieje.

– Innym razem Jezus zrobił coś poważniejszego.

24

Upłynęło sporo czasu, miał już wtedy dwanaście lat. Zdarzenie to opisuje Ewangelia, nie jest to taka bajka, jak ta z ptaszkami. Opowiem ci jutro wieczorem. A teraz już śpij, zrobiło się późno.

Zginęło mi dziecko

Pascha jest dla Żydów wielkim świętem. Jest wspomnieniem wyzwolenia z niewoli egipskiej.

Tego roku nieduża rodzina cieśli Józefa postanowiła udać się do Jerozolimy, dokąd wcześniej czy później pielgrzymował każdy, aby wziąć udział w uroczystościach.

W owych czasach mężczyźni i kobiety podróżowali osobno, a dzieci na ogół były ze swoimi mamusiami.

Jezus nie był już małym dzieckiem, miał dwanaście lat. W drodze do Jerozolimy był ze swą mamą, lecz kiedy karawana rozpoczęła podróż powrotną, Maria zorientowała się, że Jezusa nie było przy niej. Z całą pewnością szedł z ojcem.

Jezus czuł się już duży i nie chciał, by brano Go za malucha trzymającego się maminej spódnicy.

Myśląc tak, Maria uśmiechała się. Widziała goniących się chłopców, słyszała ich śmiech.

Podróż do Jerozolimy udała się i Maria była zadowolona, że powraca już do codziennego życia. Gdy po dniu marszu karawana zatrzymała się, odkryła z trwogą, że Jezusa nie było z ojcem.

– A gdzie Dziecko? – zapytał Józef, ujrzawszy ją samą. Dla niego Jezus pozostawał wciąż dzieckiem.

Maria zbladła.

– Byłam przekonana, że jest z tobą.

– Jezusie, gdzie jesteś, Jezusie? Czy ktoś nie widział naszego Dziecka?

Pytali wszystkich, a ich lęk przeradzał się w strach, w miarę jak żaden z pytanych nie mógł podać uspokajającej ich odpowiedzi. Józef i Maria postanowili wrócić. Byli zmęczeni podróżą, ale trwoga była silniejsza niż zmęczenie.

Szli, a raczej biegli nocą, a serce Marii waliło jak młot ze strachu o Jezusa.

„A może coś Mu się stało?" – myślała. Wyobrażała sobie swojego Syna samotnego w ciemności, wciągniętego w zasadzkę, rannego, cierpiącego, zagubionego...

– Spraw, by nic Mu się nie stało! – modliła się i gdy tak się zamartwiała, wyglądała jak każda matka, której zgubiło się dziecko.

Przepowiedziane ostrze miecza już zaczynało kłuć.

Jezus wśród nauczycieli w świątyni

W końcu doszli do Jerozolimy. Ze zbocza góry zwanej Getsemani, patrząc w kierunku Góry Oliwnej, ujrzeli miasto: świątynię, wieże, pałace.

– Ostatni raz widzieliśmy Go w świątyni – przypomniał sobie Józef. – Chodźmy tam.

Przed świątynią był jak zwykle tłum: stragany wędrownych sprzedawców, kupcy, pielgrzymi, turyści. A także straże rzymskie na koniach, lektyki niesione przez niewolników, wielbłądy i osły uginające się pod ciężarami.

Zrozpaczona Maria pomyślała, że w tym ogromnym tłumie nie znajdzie tak małego dziecka jak Jezus.

Ale gdy tylko przekroczyli próg świątyni, zatrzymali się w osłupieniu. Głos Jezusa wypełniał olbrzymią przestrzeń, wibrował, czysty i pewny siebie, a On sam stał otoczony tłumem ludzi. Byli tam uczeni w Świętych Księgach, starcy, kapłani i wszyscy oni, jak zorientowała się Maria, zwracali się do Jezusa z szacunkiem i czcią. Zadawali Mu trudne pytania, a On odpowiadał z całą powagą i wcale nie wyglądał na małego chłopca, zdawał się być starszy i mądrzejszy od tych wszystkich słuchających Go uczonych.

– Jest tu – ucieszył się Józef. – Cały i zdrów.

– Tak, jest cały i zdrów.

– Jak dyskutuje, słyszysz? Ma zaledwie dwanaście lat, a mówi jak nauczyciel.

Głos Józefa drżał z dumy. Także i Maria była dumna, ale oprócz tego odczuwała rozpacz; od dawna już nie czuła takiej rozpaczy, silniejszej nawet od trwogi, jaką przeżywała, gdy Go szukali. Jej Jezus oddalał się od niej, zaczynał iść swoją drogą, gonił swój los.

W przerwie dyskusji podeszli do Niego.

– Jezusie!

Odwrócił się i spojrzał na nich; Jego wzrok zdawał się wracać z nieskończenie daleka.

– Coś Ty narobił? Szukaliśmy Cię wszędzie. Tak strasznie się baliśmy, że Ci się coś stało.

– Czemu Mnie szukaliście? – i znów ten daleki, nieobecny wzrok. – Czy nie wiecie, że muszę zajmować się sprawami Ojca mego?

Słowa te były niczym policzek dla Marii, jak uderzenie grzmiące w jej piersi.

Spojrzała uważnie na Józefa. Może tego nie usłyszał! Nie chciała, by zraniły go słowa Jezusa, wspomnienie Ojca, Tego prawdziwego.

Westchnęła, serce jej przepełnił smutek, lecz Jezus już przestał dyskutować, zbliżył się, gotów do drogi, beztroski jak gdyby nigdy nic.

Wracając do Nazaretu, Maria mocno ściskała Jezusa za rękę w obawie, by Go znów nie zgubić.

Myślała: „Oto ostrze miecza zaledwie musnęło mi serce, a ja czułam się, jakbym umierała. Co będzie, gdy ostrze przebije mi serce?" – zadawała sobie w myśli to pytanie, a lata mijały, Jezus dorastał „w mądrości, w latach i w łasce u Boga i u ludzi", zawsze czuły, serdeczny, posłuszny jej i Józefowi.

Co ona wtedy zrobi?

Gdy nachodziły ją podobne myśli, Maria powtarzała niczym modlitwę to zdanie, które wypłynęło z jej serca tyle lat temu, gdy była zaledwie szesnastoletnią dziewczyną, a ukazanie się anioła z posłaniem od Boga przewróciło do góry nogami całe jej życie.

„Oto ja, służebnica Pańska" – powtarzała – „niech mi się stanie według Twego słowa".

Tymczasem wspomnienie odnalezienia Syna w świątyni ukryła głęboko w swym sercu, tak jak i wspomnienie pasterzy, którzy przybiegli, by oddać hołd Jezusowi, wspomnienie

gwiazdy, Trzech Króli, sędziwego Symeona i wszystkich tych tajemniczych wydarzeń, które towarzyszyły jej Synowi od chwili narodzin.

Głos wołającego na pustyni

Niewytłumaczalnym faktem było to, że Elżbieta, żona Zachariasza, urodziła syna.

Małżonkowie od dawna gorąco pragnęli dziecka.

W tamtych czasach brak dzieci uważano za wstyd i być może Maria od najmłodszych lat słyszała w domu o bezpłodności Elżbiety. Słyszała, jak setki razy mówiono o Elżbiecie: „Biedactwo!", a lata biegły i upragniony syn wciąż nie przychodził na świat.

Potem, gdy już Elżbieta i jej mąż byli starzy i zbliżali się do kresu swych dni, zdarzył się wielki cud: Elżbieta spodziewała się dziecka.

Wszyscy bardzo się zdziwili. Zresztą sam Zachariasz odniósł się do tego bardzo nieufnie i w pierwszej chwili nie uwierzył aniołowi Pańskiemu, który oznajmił mu, że żona spodziewa się dziecka.

– Moja żona jest w zbyt podeszłym wieku, by mieć dziecko – rzekł i za to niedowiarstwo został ukarany: zaniemówił; dopiero gdy dziecko przyszło na świat i w świątyni nadano mu imię Jan, odzyskał mowę.

Maria wcale nie była zdziwiona tym faktem. Dobrze wiedziała, że dla Boga nie ma rzeczy niemożliwych. Ona sama nie zmieniła się, ani jej życie, ani jej stosunki z Józefem, choć w jej łonie wykiełkowało ziarno, z którego narodziło się jej cudne Dziecko.

Poczęcie Jana Chrzciciela przez Elżbietę było dla Marii potwierdzeniem i zapowiedzią jeszcze większego cudu, niż poczęcie Jezusa w jej łonie.

Jan Chrzciciel urodził się w Judei sześć miesięcy przed narodzeniem Jezusa.

Był dobrym dzieckiem, a gdy stał się dorosłym mężczyzną, udał się na pustynię, by żyć tam jak pustelnik.

Jan nie tylko nawoływał do ubóstwa, lecz i sam tak żył. Nosił ubrania z wielbłądziej sierści, jadał szarańczę i dziki miód, głosił miłość bliźniego i wiarę, a jego życie było wyrazem miłości do Boga.

W bardzo krótkim czasie stał się znany i wszyscy mówili o nim i o jego wielkiej dobroci. Wiele osób udawało się do niego na pustynię.

W owym czasie cesarzem rzymskim był Tyberiusz Cezar. Herod Antypas, syn okrutnego władcy, który nakazał rzeź niewiniątek, był tetrarchą Galilei, natomiast Poncjusz Piłat – gubernatorem Judei.

Jan Chrzciciel udzielał chrztu każdemu, kto tego pragnął i wiele osób myślało, że to on jest Zbawicielem, tym Mesjaszem, o którym mówiły Święte Księgi, którego przyjścia oczekiwał od tysiącleci lud Izraela.

Lecz Jan zawsze wyprowadzał ich z błędu, w swej skromności nie chciał, by taka myśl nawet przez chwilę gościła w ich umysłach.

– Nie jestem Mesjaszem – tłumaczył z uporem. – Jestem Jego zwiastunem, świadkiem i zapowiedzią Jego wielkości.

Jan wydawał się wszystkim, którzy go otaczali, człowiekiem naprawdę wyjątkowym. Nie znali nikogo innego, kto żyłby tak jak on, wyrzekając się wszystkiego, poprzestając na życiu ubogim i pełnym poświęceń. Zadziwiał ich, oznajmiając donośnym głosem:

– Nie jestem godzien rozwiązać rzemyka u sandałów Zbawiciela.

Wskazywał na rzekę Jordan i spoglądał w niebo:

– Ja mogę ochrzcić was wodą, On chrzcić was będzie Duchem Świętym, da wam prawdziwy ogień miłości i mądrości.

Było to w tym samym czasie, gdy Jezus opuścił Nazaret i przeniósł się do Judei.

Udał się nad brzeg Jordanu, by spotkać się z Janem. Gdy Jan ujrzał Jezusa, poczuł jak serce wali mu w piersi. Doznał tak wielkiego szczęścia, że o mało co nie umarł. Jak zwykle wokół Jana zgromadziło się mnóstwo ludzi i wszyscy oni zauważyli, jak Jan zmieszał się, ujrzawszy Jezusa.

Jezus był przystojnym, młodym mężczyzną, czarnowłosym, o wielkich oczach i łagodnym uśmiechu. Wiedziano, że jest synem Józefa z domu Dawida, tego, który pracował jako cieśla w Nazarecie i umarł parę lat temu. Nie było w Jezusie niczego, co by tłumaczyło szczęście, jakie na Jego widok opromieniło twarz Jana. Wydawał się kimś zwykłym. Nagle Jan przemówił. Żaden to zwykły człowiek!

– Oto Baranek Boży! – oznajmił Jan i ukłąkł. Wydawało się, że się modli. – Oto Ten, który zgładzi grzechy świata. To Ten, któremu nawet nie jestem godzien rozwiązać rzemyka u sandałów.

Nikt nie ośmielił się mówić. Powietrze wydawało się nieruchome, a wszystkich ogarnął dziwny niepokój. To Jezus przerwał milczenie.

Poprosił, żeby Jan Go ochrzcił.

Jan poderwał się, potrząsnął głową, złożył ręce. Jakże mógł ochrzcić Zbawiciela świata – on, tak prosty, biedny?

– To ja powinienem Cię prosić, byś mnie ochrzcił, tymczasem Ty mnie o to prosisz!

– Chcę, byś Mnie ochrzcił, bo tak jest napisane w Świętych Księgach.

Czyż Jan odmówiłby czegokolwiek Jezusowi? Ochrzcił Go, a miłość, jaką doń żywił, silniejsza była niż nieśmiałość. I nie zdziwił się, gdy otworzyły się niebiosa i Duch Święty zstąpił w postaci gołębicy, usiadłszy na Jezusie, a z nieba odezwał się tajemniczy głos, który głośno i pewnie przemówił: „Oto Syn mój umiłowany, w Nim mam upodobanie".

Tego dnia nie było Marii nad brzegiem Jordanu. Kto wie, ile łez by wylała, gdyby tam była!

Bo oto po raz pierwszy boskość Jezusa została potwierdzona przez głos Boga. Tak miało być: Jezus był Jego Synem umiłowanym i przed tym wyrokiem miłości nie było ratunku.

Wyrok ten zresztą dręczył Marię od chwili, gdy urodziła Jezusa, a nawet od kiedy ukazał się jej anioł Pański.

Żyła przez te wszystkie lata w oczekiwaniu na straszną chwilę, gdy miecz przeszyje jej serce. Wiedziała, kim było to Dziecko i jak będzie cierpieć dla zbawienia świata.

– Znam modlitwę, w której jest mowa o tamtych czasach – przerywam.

– Już zmówiliśmy wieczorną modlitwę – przypomina mi Piotruś.

– To nie jest zwykła modlitwa, to pieśń poświęcona Matce Bożej i mówi o latach spędzonych z Jezusem w Nazarecie.

Chłopiec nie wydaje się być zadowolony, ale ciągnę dalej:

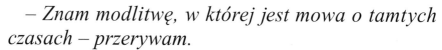
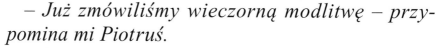

„Tak bardzo bym chciał usłyszeć od Ciebie,
co myślałaś, usłyszawszy, że nie będziesz sobą,
a Syn, którego oczekiwałaś, nie jest dla Ciebie.

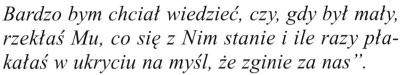

*Bardzo bym chciał wiedzieć, czy, gdy był mały,
rzekłaś Mu, co się z Nim stanie i ile razy pła-
kałaś w ukryciu na myśl, że zginie za nas".*
– *Dosyć!* – *przerywa mi głosem drżącym od łez.
Spoglądam na niego zatroskana.*

– *Co ci jest? Nie podoba ci się ta modlitwa?*

– *Chcę do mamy!* – *wybucha płaczem. Z pewnością słowa pieśni do Matki Bożej wywołały skutek
przeciwny do zamierzonego.*

– *Twoja mama wyjechała* – *pocieszam go, biorąc
na ręce.* – *Jest z tatą, oboje czują się świetnie i doskonale się bawią.*

– *Ale ja chcę do niej.*

– *Wrócą w niedzielę i przywiozą ci prezenty.*

– *A kiedy będzie niedziela?*

– *Bardzo niedługo, za parę dni.
Płacze jeszcze bardziej.*

– *A więc nie zdążymy dokończyć historii o Jezusie*
– *rozpacza.*

– *Zdążymy, nie martw się* – *osuszam mu łzy,
głaszczę go po włoskach. Nie wiem, co robić, by się
rozchmurzył.* – *Jeśli przestaniesz płakać, obiecuję
ci, że jutro wieczorem opowieść będzie długa,
nieskończenie długa.*

*Jeszcze popłakuje, ale wkrótce daje się uspokoić
i powoli, słodko zapada w sen.*

Szatan odchodzi z kwitkiem

Chrzest w rzece Jordan dodał Jezusowi sił, napełnił Go Duchem Świętym, przygotował do wypełnienia posłannictwa i podporządkowania się całym sercem Ojcu niebieskiemu, który się Mu objawił.

Dla Szatana świętość Jezusa była nie do wytrzymania. Postanowił więc, że sprowadzi Go na drogę grzechu.

Cóż by to był za triumf!

Pokonałby jednocześnie Syna Bożego, Ducha Świętego, który zstąpił na Niego i Ojca, który Go pobłogosławił, rozrywając tym samym więzy miłości łączące tę Trójkę, czego diabeł z całych swoich sił zazdrościł.

Zatem Szatan popchnął Jezusa na pustynię.

Biedny Jezus! Tak bardzo czuł się samotny bez mamy, bez żadnego przyjaciela, bez kogoś, kto by ukoił Jego lęki. Krajobraz pustynny był taki smutny i obcy, nigdzie ani jednego drzewa, ani kwiatów, tylko spalone słońcem kamienie i piasek, tyle piasku!

Diabeł śledził Jezusa i czuł się coraz bardziej zadowolony.

Jezus wydał mu się łatwą zdobyczą i z każdym dniem był coraz pewniejszy swego zwycięstwa.

Odczekał czterdzieści dni i gdy ujrzał, że Jezus już nie ma sił, że jest wycieńczony głodem, zmęczeniem i samotnością, zbliżył się doń.

Za pierwszym razem kusił Go, namawiając, by przemienił kamienie w chleb. Ciepły, pachnący chleb to pokusa nie do odparcia dla kogoś, kto umiera z głodu, a Jezus nie jadł nic od czterdziestu dni. Lecz mimo to oparł się pokusie.

Za drugim razem wezwał Go, by udowodnił swą boskość, rzucając się z wysokiej skały, na którą Go zaprowadził.

Rzekł, że jeśli jest Synem Boga, Ten nie pozwoli, by roztrzaskał się o ziemię i przyśle zastęp aniołów, by Go podtrzymał w locie.

Szyderstwo diabła miało dotknąć ludzkiej natury Jezusa. Przecież tak łatwo mógł udowodnić Szatanowi, że jest rzeczywiście Synem Bożym. Lecz i tym razem Jezus nie uległ diabelskiej pokusie.

Za trzecim razem diabeł zabrał Jezusa na szczyt bardzo wysokiej góry.

Ukazał Mu wszystkie królestwa świata i ich wspaniałość, obiecał, że wszystko to stanie się Jego własnością, jeśli tylko Jezus odda mu pokłon.

Jezus przegnał go. Ta ostatnia pokusa, obietnica chwały ziemskiej, dla większości ludzi nie do odparcia, dla Niego była najłatwiejsza do przezwyciężenia, gdyż znał cudowną, niebiańską rzeczywistość. Głęboko kochał wszechpotężnego i łagodnego Ojca, surowego, lecz miłosiernego. Jak wstrętny diabeł mógł zastąpić wielkiego i wszechmocnego Boga?

– Odejdź, Szatanie, gdyż jest napisane: „Panu Bogu swemu będziesz oddawał pokłon i Jemu służyć będziesz".

Słowa Jezusa pełne były miłości do Ojca i diabeł poczuł, że przegrał.

Był przekonany, że wygra, a tymczasem to Jezus go pokonał. Gdy uciekał, ujrzał, jak z nieba zstępuje zastęp aniołów.

Odczuł potrzebę zniknięcia, zapadnięcia się, ukrycia się w możliwie najdalszym zakątku, gdzie nigdy nie mogłoby go dosięgnąć światło zbawienia, które promieniowało od Jezusa.

Chciał zostać sam ze swą straszną złością.

Jak woda przemieniła się w wino

Tymczasem Jezus powrócił nad brzegi Jordanu. Nie zmienił się: nosił starą tunikę, na ustach miał ten sam pogodny uśmiech i tylko ciut dłuższa broda okalała Mu twarz.

Ale od całej Jego postaci bił nieprzeparty urok, który przyciągał niczym magnes.

Gdy Jan Chrzciciel spotkał Go, pozdrowił Go tymi słowami: „Oto Baranek Boży, który gładzi grzechy świata".

Słowa te wystarczyły, by niektórzy uczniowie Jana poszli za Jezusem. Nagle uświadomili sobie, że chcą z Nim zostać na zawsze. Ledwie Go znali, niektórzy nie zamienili z Nim ani słowa, lecz coś ich nieprzeparcie do Niego ciągnęło. Czuli, że od tej chwili ich życie bez tego Człowieka pozbawione jest jakiegokolwiek sensu.

I tak Jezus przybył do Nazaretu otoczony sporą grupą ludzi: wśród nich byli bracia Andrzej i Piotr, Filip, Natanel, Jakub i wielu innych. Nie oczekiwali niczego innego, byle tylko być przy Jezusie, choć musieli porzucić swoje rodziny, domy i przyjaciół.

Jezus wydał się Marii jakiś inny, może to z powodu tych wszystkich ludzi, którzy za Nim szli i słuchali Go z takim szacunkiem i tak uważnie.

Uśmiechał się wprawdzie tak jak zwykle, gasił pragnienie z tej samej fontanny, zajmował to samo miejsce przy stole, lecz ona znała Go dobrze, ona, która tak mocno Go kochała, wiedziała, że się zmienił.

Był poważniejszy, jakby w ciągu tych paru miesięcy nieobecności przybyło Mu wiele lat. Jakże mocno kochała tego nowego Jezusa!

Właśnie do tego nowego Jezusa zwróciła się, gdy w parę dni później znaleźli się w Kanie Galilejskiej, zaproszeni przez przyjaciół na wesele.

Uroczystość była piękna, wszyscy doskonale się bawili, aż tu nagle, gdy już zbliżał się koniec, słudzy zorientowali się, że zabrakło wina.

Maria spostrzegła, jak przykro zrobiło się gospodarzom. Znała ich dobrze, wiedziała, ile wyrzeczeń kosztowało ich, by wesele było wspaniałe. Nie chciała, aby wszystko zostało zepsute tylko z tego powodu, że zabrakło wina.

Podeszła do Jezusa.

– Skończyło się wino – szepnęła Mu. – Nie ma już ani kropelki.

Jezus spojrzał na matkę bez zmieszania.

Pomyślał, że kocha ją za to, że bierze na swe barki wszystkie lęki, niepokoje, strapienia, nawet te najmniejsze, wszystkich ludzi.

– Czemu Mi o tym mówisz? Czy to moja lub twoja sprawa? Czy nie wiesz, że moja godzina jeszcze nie nadeszła?

Maria spojrzała swemu Synowi prosto w oczy. Być może coś Mu jeszcze powiedziała, może On coś jej odpowiedział, bo odwróciła się do sług i wskazała Jezusa.

– Zróbcie wszystko, cokolwiek wam powie – rzekła.

Jezus polecił sługom, by napełnili wodą olbrzymie naczynia, które służyły jako zbiorniki wody do mycia. Następnie kazał nalać z nich wody do dzbanów i zanieść na stół.

Koniec kłopotów z winem! Wszyscy pili, twierdząc zgodnie, że nigdy dotąd nie kosztowali tak doskonałego wina. Gratulowali gospodarzom, że zachowali tak wspaniałe wino na koniec przyjęcia, chociaż niestety wielu już nie było w stanie docenić jego smaku.

– To niewiarygodne! – dziwili się uczniowie Jezusa, którzy obserwowali służących i zrozumieli, że to woda zamieniła się w wino.

– To cud – cieszyła się Maria. Wszyscy byli uśmiechnięci, panowała ogólna wesołość, może dzięki temu szlachetnemu winu, które rozgrzewało krew i sprawiało, że wszyscy byli szczęśliwi.

Maria także się uśmiechała, nie odrywając wzroku od twarzy Jezusa. „Dziękuję" – mówiło jej matczyne serce, pełne dumy i miłości.

– Miała powód, żeby się cieszyć – przerwał mi Piotruś. – Ten cud Jezus uczynił dla niej!

– To prawda – potwierdzam. – W gruncie rzeczy nie był to taki konieczny cud, w końcu świat by się nie zawalił, gdyby tego dnia w Kanie goście zostali bez wina. Lecz właśnie dlatego ten cud jest wyrazem miłości, bo troska Marii o wszystkich sprawiła, że Jezus stał się uczestnikiem naszych problemów, nawet tych małych.

Piotruś zastanawia się.

– Jezus był w Kanie dzielny i dobry – dodaje. – Ale jest tyle dzieci na świecie, które umierają z głodu, które nie mają co jeść, nawet maluteńkiej bułeczki. Nic by to Jezusa nie kosztowało, gdyby coś zamienił na jedzenie. Dlaczego tego nie robi?

To trudne pytanie. Macham ręką, poszukując odpowiedzi, lecz wnuczek mnie wyprzedza.

– Ja wiem, dlaczego tego nie robi – oznajmia mi.

– Dlaczego?

– Bo nie ma Matki Bożej, która by Go o to prosiła.

W pierwszej chwili nie rozumiem, co przez to chce powiedzieć, lecz on mi tłumaczy.

– Ja wiem, co Matka Boża powiedziała Jezusowi, gdy tego dnia patrzyła na Niego w Kanie. Powiedziała Mu: „Pamiętaj, że jesteś Bogiem i możesz uczynić wszystko, co tylko zechcesz". A On odpo-

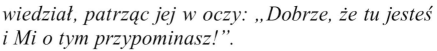

wiedział, patrząc jej w oczy: „Dobrze, że tu jesteś i Mi o tym przypominasz!".

To wspaniałe spostrzeżenie. Mały chce przez to powiedzieć, że to wiara Marii sprawiła, że nastąpił cud. To wiara czyni cuda, a nie na odwrót. Gdy wiary brakuje, gdy Jezus widzi wokół siebie nie- dowierzanie, obojętność, zniechęcenie, nie czyni cu- dów – nie potrafi ich uczynić.

To słuszne spostrzeżenie. Który teolog umiałby w tak prosty sposób to wytłumaczyć? Innymi słowy Bóg potrzebuje człowieka i jego wiary, by móc działać, by włączyć się w ludzkie dzieje.

– Zawsze przydałby się ktoś, kto by przypominał Jezusowi, że jest Bogiem i wszystko może – mówię.

Ale mój mały teolog jest już zmęczony.

– Chce mi się spać – ziewa. – Jutro opowiesz mi, co się potem zdarzyło.

Jezus wybiera dwunastu przyjaciół

Chmary ludzi otaczały zawsze Jezusa, dlatego był szczęśliwy, gdy mógł choć trochę pobyć w samotności.

Podczas tych samotnych godzin nie chciał czytać, odpoczywać ani się bawić. Chciał się modlić. Jak głębokie były te rozmowy z Ojcem niebieskim i ile dawały siły Jezusowi!

Może to Ojciec poradził Mu, by wybrał apostołów. Po całej nocy spędzonej na modlitwach Jezus zgromadził swych uczniów i wybrał spośród nich dwunastu, którzy mieli Mu pomagać w Jego misji, być zawsze obok Niego i wspierać Go swym przywiązaniem.

Kto wie, według jakiego kryterium ich wybrał? Prawdopodobnie zapytał o to swe serce i ono zadecydowało.

Byli to ludzie bardzo skromni, żaden z nich nie posiadał wykształcenia, na ogół byli to rybacy albo wieśniacy nie umiejący ani czytać, ani pisać, nie wszyscy też byli szlachetnie urodzeni.

Byli to: Piotr, pierwszy, który za Nim poszedł i jego brat Andrzej, Jakub, Jan, Filip, Bartłomiej, Mateusz, Tomasz, Jakub, syn Alfeusza, Szymon Zelota, Juda, syn Jakuba i Judasz Iskariota, który potem Go zdradzi.

Jedynie Mateusz pochodził z nieco wyższej grupy społecznej. Był celnikiem – urzędnikiem państwowym pobierającym podatki, a więc wykonywał zawód już wówczas nie lubiany przez ludzi.

Dzień ten zaczął się dla Mateusza jak każdy inny.

Wstał, zjadł śniadanie, następnie udał się do pracy i zajął miejsce w swej ławie.

Prowadził zwykłe życie, które nie przynosiło mu wielkich niespodzianek i myślał, że zawsze już tak będzie, bez żadnych wstrząsów, aż do śmierci.

A tymczasem przechodził tamtędy Jezus i spojrzał na niego. Jaką wiadomość przekazał mu Pan wzrokiem? Kto to wie... Faktem jest, że Mateusz nie mógł oderwać swych oczu od oczu Jezusa. Nagle dostrzegł, że nie interesuje go ani praca, ani rodzina, ani przyjaciele, ani nic, co go otacza.

– Chodź ze Mną, Mateuszu – rzekł mu Jezus. I Mateusz wstał i poszedł za Nim, nie wiedząc, czemu Go usłuchał. Wiedział jedynie, że nie może żyć bez tego Człowieka i gotów był poświęcić wszystko, byle tylko przy Nim być.

Spojrzenie Jezusa zmieniło całe jego życie.

Na ten wieczór Mateusz zaprosił do swego domu Jezusa i Jego uczniów. Chciał przedstawić Nauczycielowi swoją rodzinę, swoich przyjaciół, pokazać swój dom. Znał wiele osób i nie wszyscy jego przyjaciele byli ludźmi dobrymi.

I tak przyszło Jezusowi jeść w towarzystwie podejrzanych typów.

Wśród zaproszonych przez Mateusza był mężczyzna zdradzający żonę, był przemytnik, byli kupcy-oszuści i rzemieślnicy wykorzystujący swych robotników.

Jezus był wesoły i serdeczny dla wszystkich, jakby to byli Jego starzy przyjaciele.

Faryzeusze, którzy zawsze szpiegowali Jezusa, mieli czym się zgorszyć.

– Czemu wasz Nauczyciel je z celnikami i grzesznikami? – pytali złośliwie Jego uczniów. – Czemu zadaje się z taką hołotą?

Jezus się zasmucił, gdy uczniowie opowiedzieli Mu to.

Pomyślał ze smutkiem, że ludzie są ograniczeni i nietolerancyjni, zawsze gotowi osądzać i krytykować. Lecz nie był to dla Jezusa powód, aby przez to kochać ich mniej.

– Zdrowym nie jest potrzebny lekarz. Potrzebują go chorzy – odparł, a następnie wyjaśnił. – Nie przyszedłem tu dla dobrych, ale dla grzeszników.

Uczniowie byli uszczęśliwieni, słysząc te słowa. Każdy z nich wiedział, że jest grzesznikiem i było pocieszające usłyszeć z ust samego Jezusa, że przyszedł na ziemię dla każdego z nich.

Potęga miłości

Także dla tej kobiety Jezus przyszedł na ziemię. Była ulicznicą, od lat żyjącą w grzechu; gdy się dowiedziała, że Jezus gości w domu pewnego faryzeusza, zjawiła się i ona.

Tyle słyszała o Jezusie i zdawała sobie sprawę, że nie była godna Jego przyjaźni. Nie chciała o nic Go prosić, a tylko uklęknąć przed Nim w pokorze.

Przyniosła naczynko z bardzo cennym balsamem, który przechowywała od lat na specjalną okazję. Teraz chciała go ofiarować Jezusowi. Uklękła, Jezus na nią spojrzał i wtedy kobieta poczuła tak wielki żal za swe grzechy, że z jej oczu polały się obfite łzy. Deszcz łez, spowodowany wielkim bólem i skruchą, obmył stopy Jezusa.

Potem ucałowała Te stopy i osuszyła Je swymi długimi włosami, a następnie z niezmierną czułością namaściła cudownym balsamem.

Faryzeusz, który zaprosił do swojego domu Jezusa, siedział jak na rozżarzonych węglach. Nie podobało mu się zachowanie tej kobiety. Ponadto, gdyby Jezus był rzeczywiście Prorokiem, za jakiego się uważał, wiedziałby, że ma do czynienia z kobietą lekkich obyczajów.

Jezus naturalnie wiedział o wszystkim. Znał grzechy kobiety, lecz także jej skruchę. Znał nawet złe myśli swojego gospodarza. Dał mu przykład:

– Przypuśćmy, że jakiś bogacz pożyczył pewną sumę pieniędzy jednemu człowiekowi i dużo większą sumę jakiemuś innemu. Potem rezygnuje z tych pieniędzy, ofiarowując je tym ludziom. Według ciebie, który spośród nich powinien być bardziej wdzięczny?

Faryzeuszowi odpowiedź wydała się dziecinnie prosta, choć nie zrozumiał, o co chodziło Jezusowi.

– Bardziej jest mu wdzięczny ten, któremu podarował więcej pieniędzy – zawyrokował.

– Masz rację – uśmiechnął się Jezus, wskazując na kobietę, która korzyła się u Jego stóp, wznosząc pełne miłości spojrzenia. – Ta kobieta była dla Mnie szczodra. Obmyła Mi stopy swymi łzami, okazała Mi czułość, posmarowała wonnym balsamem. Okazała Mi więcej miłości niż ty. Czy wiesz, że zostanie wiele wybaczone tym, którzy mocno kochają?

Pochylił się nad kobietą i pomógł jej wstać.

– Twoje grzechy zostały odpuszczone – rzekł do niej. – Uratowała cię twoja wiara.

Kobieta była szczęśliwa: po raz pierwszy w swym życiu nie czuła wyrzutów sumienia. Niektórzy współbiesiadnicy byli wzruszeni, inni oburzali się. Kimże jest ten Jezus, twierdzący, że zmazuje grzechy, które odpuścić może jedynie Bóg?

Jezus traci cierpliwość

Życie publiczne Jezusa już się zaczęło. Syn biednego cieśli z Nazaretu stał się Nauczycielem przyciągającym do siebie wielu ludzi.

Tego roku z okazji świąt Paschy Jezus i Jego uczniowie udali się do Jerozolimy.

Co za bałagan ujrzeli w świątyni! Pełne towarów stragany zamiast stać na zewnątrz, zajmowały większą jej część. Kupcy oczywiście wcale nie zajmowali się modlitwą, a tylko pilnowali swoich interesów. Byli tam bankierzy, handlarze sprzedający woły, baranki i gołębice na ofiarę.

Dookoła rozbrzmiewały głosy, nawoływania, śmiechy. Nie wyglądało to na miejsce święte, a raczej na bazar. Brak było atmosfery skupienia i nieliczne osoby, które chciały się modlić, nie mogły tego uczynić, tak okropny panował hałas.

Bardzo to zabolało Jezusa! Świątynia stanowiła dom Jego ukochanego Ojca, należała do Niego. Jak ci ludzie mogli tak się zachowywać? Na zewnątrz było tyle miejsca, czemu musieli robić takie zamieszanie właśnie tu, w miejscu przeznaczonym do modlitwy?

Brak szacunku dla Ojca był dla Jezusa zniewagą nie do zniesienia, więc w okrutnej złości wyrzucił ze świątyni zwierzęta i ich właścicieli, powywracał stragany, porozrzucał po ziemi monety. Ci, którzy byli przy tym, przestraszyli się siły Jego gniewu, Jego wyniosłości.

Byli jednak i tacy, co poczuli złość. Czego tu chciał ten Człowiek z Nazaretu? Może i nawet miał rację, w świątyni brakowało skupienia religijnego, ale za kogo On się uważał?

Zastanawiali się, co Mu do tego i kto upoważnił Go do takiego zachowania.

Zapytali Go o to, a odpowiedź, jaką Jezus dał, zabrzmiała niezrozumiale i arogancko.

– Jeśli zburzycie tę świątynię, Ja ją w ciągu trzech dni z powrotem postawię.

Słowa te uspokoiły większość obecnych. Z całą pewnością ten Człowiek był szalony. Przecież, aby wybudować tę świątynię, dumę Jerozolimy i całej Judei, potrzeba było tyle lat, a Ten twierdził, że odbudowałby ją w ciągu trzech dni!

Dziwne, lecz wielu uwierzyło w to, co mówił: największe niedorzeczności wypowiedziane przez Niego wydawały się możliwe. Od postaci Jezusa bił taki autorytet, że nietrudno było Mu wierzyć.

Głos na pustyni już nie woła

Najgorętszym zwolennikiem Jezusa był Jan Chrzciciel.

Nadal wiódł na pustyni życie pielgrzyma, a jego pełne wyrzeczeń dni wypełniały modlitwy.

Wielu ludzi odwiedzało go, by usłyszeć od niego choć słowo pociechy albo też ze zwykłej ciekawości.

Jan był coraz bardziej wychudzony, lecz ożywiała go tajemna moc i nadal chrzcił każdego, kto tego pragnął.

Przez cały czas opowiadał o Jezusie. Kochał Go naprawdę i był mu szczerze oddany.

– To Syn Boży – twierdził i gdy tylko wymawiał Jego imię, oczy zaczynały mu błyszczeć. – To Zbawiciel świata, Mesjasz, którego od tysięcy lat wyczekuje lud Izraela.

Niektórzy twierdzili, że Mesjaszem jest Jan Chrzciciel. Wtedy porywczo zaprzeczał:

– Nie jestem Mesjaszem, zostałem tylko przed Nim posłany, jako świadek Jego wielkości. Zapewniam was, że tylko ci, którzy wierzą, będą zbawieni.

Jan wierzył w Jezusa całym sercem i głosił Jego naukę, która nakazuje miłosierdzie, przestrzeganie prawa, szacunek, wzajemną miłość i czystość obyczajów...

Niestety, jego słowa nie były w smak wielu osobom, które nie żyły uczciwie.

Wśród nich był też Herod Antypas, syn okrutnego króla, który przed laty urządził rzeź niewiniątek.

Herod od lat był kochankiem Herodiady, która była żoną jego brata. Wszyscy na dworze wiedzieli o tym, ale tylko Jan Chrzciciel miał śmiałość publicznie wytknąć królowi jego grzeszne życie.

Echo słów Jana dochodziło także do pałacu królewskiego, denerwując Heroda. Musiał uciszyć ten głos, który na niego krzyczał, który stawiał go w złym świetle nawet przed poddanymi.

Jak mógł postąpić? Wiedział, że ani prośbą, ani groźbą nie uciszy Jana. Jedyne, co mu pozostawało, to pozbyć się go. Zatem Herod rozkazał swym strażom, aby wtrąciły Jana Chrzciciela do więzienia.

Wiadomość o tym, że Jan, ukochany przyjaciel, został wtrącony niezasłużenie do więzienia, zmartwiła Jezusa. Może też i dlatego zdecydował się powrócić do Nazaretu.

Oczywiście nie był sam. Szli za Nim apostołowie, przyjaciele, uczniowie, sympatycy, a także zwykli ciekawscy, chcący dowiedzieć się, kim jest naprawdę ten Człowiek, o czym mówi i chcący uczestniczyć w cudach, jakie czyni.

Woda, która gasi każde pragnienie

By dostać się do Galilei, musieli przejść przez Samarię, której mieszkańcy od dawna uważani byli za wrogów.

Dochodziło południe, gdy ujrzeli pierwsze zabudowania miasteczka zwanego Sychar.

Wszyscy byli głodni, zatem udali się do mieszkańców miasteczka w poszukiwaniu czegoś do jedzenia.

Jezus został sam.

Po tak długiej i męczącej drodze bardzo mu się chciało pić. Czuł się zmęczony. Ujrzał studnię stojącą na rozstaju dróg i przysiadł nie opodal.

Tam wkrótce ujrzała Go kobieta, która przyszła do studni po wodę.

Spojrzała na Niego z ciekawością.

Był z pewnością Żydem, więc zdziwiła się, że odpoczywa na nieprzyjacielskiej ziemi. Jeszcze bardziej się zdziwiła, gdy odezwał się do niej.

– Daj mi pić – poprosił Jezus.

Kobieta ze zdziwienia mało co nie upuściła dzbanka! W tamtych czasach nie uchodziło rozmawiać z kobietą w miejscu publicznym, a na dodatek nieznajomy był Żydem; świadczył o tym Jego ubiór i akcent.

Żydzi słynęli ze swej dumy: woleli umrzeć, niż poprosić o przysługę mieszkańca Samarii. Uważali Samarytan za nieczystych, jeszcze gorszych od pogan.

– Jakże Ty, Żyd, prosisz mnie, Samarytankę, bym dała Ci pić? – spytała zaciekawiona.

Uśmiechnął się na to. Jaki był piękny, kiedy się uśmiechał, a jaki miał łagodny głos!

– Gdybyś wiedziała, kim jest Ten, kto cię prosi, sama byś Go prosiła, a dałby ci wody żywej.

Zmieszała się, usłyszawszy słowa nieznajomego. Próbowała się bronić.

– Nie masz nawet wiadra, by nabrać wody, a studnia ta jest bardzo głęboka. Jakże byś nabrał wody żywej?

Jezus podniósł się. Był od niej wyższy. By spojrzeć Mu w twarz, musiała unieść głowę.

Gdy tak na Niego patrzyła, ogarnęło Samarytankę dziwne uczucie.

Spostrzegła, że jest zmęczony i smutny, ale jednocześnie silny i pewny siebie. Nic nie wiedziała o Nim, lecz zrobiłaby wszystko, aby Mu pomóc.

Jezus wskazał studnię.

– Kto pije tę wodę, będzie miał znów pragnienie – wytłumaczył. – Kto zaś będzie pił wodę, którą Ja dam, nie będzie miał już nigdy pragnienia.

Kobieta z Samarii wyczuła, że ten Człowiek objawia jej wielką prawdę i zapragnęła wody, o której mówił, zapragnęła jej z całych sił, najbardziej ze wszystkich rzeczy na świecie.

– Daj mi wody, o której mówisz – poprosiła. – Nigdy więcej nie chcę mieć pragnienia.

– Idź, zawołaj swego męża i wróć z nim do mnie – zachęcił ją Jezus.

Zaczerwieniła się.

– Ja... ja nie mam męża...

– Powiedziałaś prawdę – przytaknął Jezus ze smutkiem. – Mężczyzna, z którym teraz żyjesz, nie jest twym mężem, nie jest także pierwszym w twym życiu. Miałaś co najmniej pięciu innych.

To prawda, ale skąd mógł wiedzieć o tym nieznajomy?

– Jesteś Prorokiem – wyszeptała z szacunkiem.

Wciąż na Niego patrzyła, dziwiąc się, jakie w niej wzbudza uczucia. Nagle zaczęła nienawidzić grzechów, które popełniła, życia, które dotąd prowadziła.

– Wiem, że ma nadejść Mesjasz – rzekła z wahaniem. – Święte Księgi ojców mówią o Nim. Kiedy przyjdzie, objawi nam wszystko.

– To Ja jestem tym Mesjaszem – odrzekł Jezus.

Kto wie, dlaczego uwierzyła Mu od razu, każdą cząstką siebie; odczuła potrzebę uklęknięcia przed Nim, objęcia Jego stóp. Lecz w tej chwili powrócili uczniowie, rozmawiając ze

sobą na cały głos i kobieta uciekła, zapominając o swym dzbanie z wodą.

Była zmieszana, ale zarazem dziwnie szczęśliwa.

– Widziałam Mesjasza! – oznajmiała każdemu, kogo spotkała na drodze.

Była przekonana, że to prawda. Spotkała Kogoś zupełnie innego od spotykanych dotychczas mężczyzn i pewna była, że to Zbawiciel świata. Pełna radości zadawała sobie pytanie, czemu to objawił się właśnie jej, biednej grzesznicy.

Wielu mieszkańców Samarii uwierzyło kobiecie i świadczy to o tym, że Jezus używa wszelkich metod, by zbliżyć ludzi do siebie i przekonać o swym posłannictwie.

Także biedna, prowadząca grzeszne życie Samarytanka, może stać się narzędziem zbawienia.

Jezus i Jego przyjaciele przebywali przez trzy dni w okolicach Samarii, następnie udali się do Galilei.

Jest w tej okolicy jezioro Genezaret, nad którego brzegiem wznoszą się liczne miasteczka, jak Nazaret, Kafarnaum, Kana, Magdala, Betsaida. To na uliczkach tych miast rozpoczęła się misja Jezusa.

Kana musiała być szczególnie drogim sercu Nauczyciela miejscem. Tu przecież uczynił swój pierwszy cud.

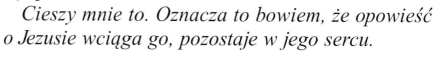

Wczoraj powiedziałam mojemu wnuczkowi, że już późno i na dziś wieczór odłożyliśmy opowieść o drugim cudzie Jezusa.

– Jest tak wspaniały jak pierwszy? – pyta mnie następnego ranka, gdy odprowadzam go do szkoły.

Często w trakcie dnia nawiązuje do historii, którą opowiadam mu wieczorem.

Cieszy mnie to. Oznacza to bowiem, że opowieść o Jezusie wciąga go, pozostaje w jego sercu.

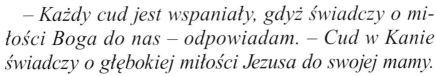

– Każdy cud jest wspaniały, gdyż świadczy o miłości Boga do nas – odpowiadam. – Cud w Kanie świadczy o głębokiej miłości Jezusa do swojej mamy.

– Syn nigdy nie może odmówić swojej mamie, prawda? – pyta mnie z poważną miną.

– Miłość między mamą a dzieckiem jest bardzo głęboka – tłumaczę. – Pomyśl, jak bardzo kochasz swą mamę! Nie chciałbyś sprawiać jej przykrości?

– Prawda – potwierdza uroczyście.

– Syn nie powinien nigdy niczego odmawiać swojej mamie.

– To znaczy, że zawsze jej słucha?

– Tak. Przecież, gdy chcemy uzyskać specjalną łaskę, zwracamy się do Matki Bożej i prosimy ją o wstawiennictwo. Nam Jezus mógłby może odmówić, ale swej mamie na pewno nie odmówi.

– Nie potrafi jej niczego odmówić – powtarza Piotruś. Wydaje się bardzo zadowolony i prawdopodobnie roztrząsał moje słowa przez cały dzień, bo, gdy kładę go spać, wraca do tematu.

– Jezus chce, żeby jego mama była zawsze zadowolona, prawda?

– Najprawdziwsza prawda. Nie mógłby uczynić jej najmniejszej przykrości.

Jestem dumna, że historia, którą mu opowiadam, każe mu tak głęboko się zastanawiać. Znienacka przerywa moje myśli.

– Mój tatuś jest twoim synem, prawda babciu. On także niczego ci nie odmówi?

Jak trudno mu na to odpowiedzieć.

Jestem przekonana o głębokiej miłości, jaką moje dzieci żywią do mnie, lecz posłuszeństwo to całkiem inne zagadnienie. Ale jak mu to wytłumaczyć?

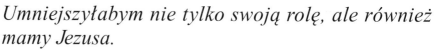

Umniejszyłabym nie tylko swoją rolę, ale również mamy Jezusa.

– Zazwyczaj robi wszystko, żebym była zadowolona – przyznaję.

– Hura! – krzyczy uszczęśliwiony. Podrzuca w górę poduszkę. Potem sam skacze za poduszką. Podnoszę z ziemi i jego, i poduszkę.

– Jak tylko wróci z wakacji, musisz go poprosić, by mi kupił rower, ten duży, czerwony, z prawdziwym reflektorem. Jak ty go poprosisz, jako jego mama, na pewno kupi.

– Poproszę go.

– A teraz czas na drugi cud – przypomina mi, układając się w łóżeczku.

– Tak, tak, wiem.

Zaczynam opowiadać. Chce mi się śmiać i nie jestem już taka dumna z pełnych wiary refleksji, jakimi napełnia go moja opowieść.

O dziecku, które znów mogło się bawić

Drugim cudem, jaki uczynił Jezus, było uzdrowienie chłopca z Kafarnaum, syna królewskiego dworzanina.

Biedaczysko miał od wielu dni bardzo wysoką gorączkę i gasł jak świeczka. Nie było jeszcze wtedy takich leków jak dzisiaj i lekarze nic już nie mogli zrobić. Nie było rady, chłopiec musiał umrzeć.

Nietrudno wyobrazić sobie rozpacz rodziców! Biedny ojciec sam miał ochotę umrzeć. Jego synek leżał w łóżeczku rozpalony od gorączki, a on, który był gotów oddać za niego życie, nie mógł nic uczynić.

Aż dotarła do niego wiadomość, że Jezus z Nazaretu przybył do Kany.

Królewski dworzanin słyszał o Jezusie i o Jego cudach, sam fakt, że znajduje się tak blisko, parę kilometrów od jego domu, wydał mu się znakiem od Boga. Nie chciał oddalać się od dziecka, z którym było coraz gorzej, okropnie się bał, że nie ujrzy go żywego. Ale tak bardzo chciał pomówić z Jezusem. Czuł, że tylko On mógłby jakoś pomóc synkowi.

Kiedy już przyjechał do Kany, bez trudu odnalazł Jezusa. Otaczał Go nieprzebrany tłum i trudno było się do Niego przedrzeć. Gdy już mu się to udało, nagle głos odmówił mu posłuszeństwa. Musiał się bardzo wysilić, by wydusić z siebie słowa.

– Pomóż mi, Jezusie – zaszlochał. – Mój syn umiera. Tylko Ty możesz go uratować!

Jezus dostrzegł ból na twarzy tego człowieka.

– Potrzeba wam cudów, by uwierzyć – dopiero co zakończył ze smutkiem swe oskarżenie.

Człowiek, który stał koło Niego, nie potrzebował cudów, by uwierzyć. Był przekonany, że Jezus, jeśliby tylko chciał, uzdrowiłby jego dziecko.

Powtórzył swe błaganie.

– Chodź do mojego domu, chodź szybko, nim będzie za późno, nim mi dziecko umrze.

Wiara tego człowieka poruszyła mocno Jezusa. Jak mógł rozczarować kogoś tak głęboko wierzącego?

– Idź – rzekł mu – twój syn żyje.

Człowiek ten wrócił do Kafarnaum. Po drodze napotkał swe sługi, które wyszły mu na spotkanie, śmiejąc się i radując.

– Twój syn wyzdrowiał – krzyczeli z daleka. – Gorączka minęła, czuje się lepiej.

„Wiedziałem" – pomyślał człowiek. Nie mógł mówić; ze szczęścia i wdzięczności miał ściśnięte gardło, nie mógł wymówić ani jednego słowa.

– Niespodziewanie, wczoraj koło południa, kiedy myśleliśmy, że umiera, gorączka zniknęła! – opowiadali nie mogący w to uwierzyć słudzy, śmiejąc się i płacząc na zmianę.

W południe!

Właśnie wtedy rozmawiał z Jezusem!

Dzięki Ci, Jezu, modlił się człowiek, kierując się w stronę domu. On ani jego rodzina nigdy nie zapomnieli łaski, jaką otrzymali, nigdy nie przestali wierzyć w Jezusa, czcili Go i kochali zawsze, przez całe życie.

Jezus zostaje wygnany ze swego miasta

To dziwne, że właśnie w Nazarecie, mieście, w którym Jezus przeżył całe swe życie, nie uczynił wielu cudów.

– Potrzeba wam cudów, by uwierzyć – wytykał ludziom. Wielki żal ściskał Go mocno za serce, gdyż brak wiary jest rzeczą najbardziej zasmucającą Jezusa.

Może oskarżenie, z jakim zwracał się do mieszkańców Nazaretu, miało swoje uzasadnienie? W tak małym miasteczku, gdzie wszyscy ludzie byli ze sobą mniej lub bardziej spokrewnieni, także i Jezus był „znajomym”.

Wszyscy pamiętali Jezusa, jak się bawił z innymi dziećmi, jak się wspinał na drzewa, biegał z kółkiem; słyszeli, jak w synagodze śpiewał wraz z innymi. Gdy podrósł, widzieli, jak w warsztacie ciesielskim pomagał ojcu nosić pnie drzew, zginając się pod ich ciężarem, z czołem mokrym od potu i zmęczenia. Znali Jezusa zmęczonego, głodnego, wesołego i smutnego.

Jednym słowem Jezus był dla swych ziomków kimś zwykłym, synem zwykłych ludzi.

Aż tu nagle zaczął występować w świątyni, ośmielał się czytać Święte Księgi i po swojemu interpretować.

Wielu ludziom nie podobało się takie zachowanie. Za kogo On się ma? Gdyby choć uczynił coś nadzwyczajnego, może łatwiej byłoby im uwierzyć.

Biedny Jezus! I to właśnie w mieście, w którym dorastał, gdzie miał prawo oczekiwać na więcej uczucia i ciepła, zaczął cierpieć, bo Go nie rozumieli.

Ten brak zrozumienia stał się dla Niego tak dokuczliwy, że pewnego dnia zmusił Go do ucieczki z Nazaretu.

W synagodze, w której ludzie zawsze zbierali się, aby czytać Święte Pisma, Jezus zaczął czytać fragment z Księgi proroka Izajasza.

Była w nim mowa o Kimś, kto przyjdzie na ziemię, zesłany przez Boga, by pomagać cierpiącym, by dać wolność uciskanym, wzrok ślepcom, zdrowie chorym i zbawienie całemu światu. Prorok Izajasz czytał w otchłani czasu, odsłaniał tajemnicę przyszłości i ujrzał Jego, Zbawiciela.

Ludzie zaniemówili. Ten człowiek twierdził, że jest Zbawicielem. Ale czy nie był przecież synem Józefa, cieśli?

A może On oszalał?

Niektórzy byli gotowi uwierzyć, wiadomość o cudach w Kanie dotarła i tu, lecz w ich mieście nie uczynił nawet maluteńkiego cudu.

W ich mieście Jezus tylko mówił i mówił, zwracając się także do starszych i bardziej od siebie wykształconych z taką pewnością, że wielu ludziom wydawała się ona arogancją i brakiem szacunku.

Tak więc, kiedy Jezus załamanym głosem wyrzucał im brak wiary, przypominając przysłowie: „Żaden prorok nie jest dobrze przyjęty we własnym kraju", ich złość nie miała granic. Jak ten człowiek śmiał krytykować ich? Zaczęto Go wręcz wyklinać.

– Wynoś się stąd!

Wyrzucili Go i Jezus musiał uciekać, a wrzeszczący tłum gonił Go. Być może te krzyki i groźby stanowiły dla Niego zapowiedź oczekujących Go prześladowań.

Chcieli uwolnić się raz na zawsze od Jezusa i zrzucić Go w przepaść, lecz udało Mu się uciec.

Jezus dokonuje wielu cudów

I tak Jezus przeniósł się do Kafarnaum. Wraz z Nim byli ci co zawsze przyjaciele oraz grupa kobiet, wśród których znajdowała się oczywiście Jego matka. Jak wielki ból i strach odczuwała Maria, gdy ten dziki tłum biegł za Jezusem, nacierając na Niego i popychając Go, jakby był przestępcą!

Już wcześniej, zanim do tego doszło, postanowiła, że zawsze będzie szła za Nim. Nie mogła być tuż obok Niego, gdyż w tamtych czasach kobietom zabraniano przebywania z mężczyznami. Maria jednak nie traciła nigdy z oczu swego Syna. Gdy przemawiał do ludzi, stała zawsze w pierwszym rzędzie i czasami odczuwała taką dumę, że chciało jej się krzyczeć do wszystkich, że ten młody brunet o zniewalającym spojrzeniu, który zna odpowiedź na wszystko, jest jej Synem, jej cudownym, dorosłym Dzieckiem. Jeszcze bardziej miała ochotę wykrzykiwać te słowa, gdy ludzie byli przeciwni Jezusowi, gdy Go nie rozumieli, gdy się Go bali albo Go znieważali.

Oczywiście Jezus odczuwał miłość swej mamy. Ta miłość była niczym ciepła kołderka ogrzewająca Mu serce i pomagała Mu w pełnieniu Jego posłannictwa. Może było tak, że Nim zaczynał mówić, spoglądał, czy ona jest wśród ludzi, a obecność mamy dodawała Mu pewności. Czasem, być może, ich spojrzenia spotykały się i wtedy każde z nich mogło wyczytać w oczach drugiego miłość, która ich łączy i z tej miłości czerpać siłę.

Na pewno miłość matki i jej wiara pomogły Jezusowi w wielu cudach, które uczynił. A wiele ich uczynił w tamtym okresie! Przepędzał złe duchy z ciał opętanych, przywracał wzrok ślepcom i głos niemowom. Samym tylko dotykiem rąk leczył trędowatych, których wszyscy unikali, gdyż trąd jest odrażającą chorobą, zaś strach przed zarażeniem był ogromny. Uleczył także umierającą teściową Piotra. Piotr był Jego serdecznym przyjacielem, jednym z pierwszych, którzy za Nim poszli.

Sława Jezusa rosła z każdym dniem. Również poza granicami Galilei mówiono o Nim i o wielu cudach, jakie czyni w imię Boga.

W tamtych czasach nie było telewizji ani radia, ani gazet.

Wydarzenia przekazywano sobie ustnie i nie wszyscy w nie wierzyli, myśląc, że to zmyślone bajki albo rozdmuchane historie. Wielu ludzi jednak było poruszonych tymi opowieściami.

Choć nigdy nie widzieli Jezusa, to serca ich wierzyły, że Zbawiciel naprawdę przybył i spełnia się przepowiednia ze Świętych Ksiąg.

Czy, na przykład, rzeczywiście zaistniało to głośne wydarzenie znad jeziora Genezaret, o którym wszyscy mówili?

Cudowny połów

Rybołówstwo było w tamtych czasach bardzo ważnym zajęciem w Palestynie.

Mężczyźni zajmowali się wypasem bydła, uprawą roli, rzemiosłem lub właśnie rybołówstwem.

W każdej rodzinie była przynajmniej jedna osoba zarabiająca na życie połowem ryb i wszyscy znali trud zarzucania sieci, niepokój oczekiwania i rozczarowanie, gdy wyciągane sieci były puste lub ledwie co zapełnione.

Tamtej nocy cały trud poszedł na marne. Wydawało się, że w jeziorze zamarła wszelka forma życia i nie znajdzie się ani jedna ryba.

Dlatego, gdy Jezus skończył mówić do tłumu i zaczął nakłaniać rybaków do zarzucenia sieci, Piotr i inni pospuszczali z goryczą głowy.

– Czyniliśmy to całą noc – użalali się – lecz niczego nie złowiliśmy!

Biedni! Było im przykro, bo ich dzieci potrzebowały tylu rzeczy, które mogliby kupić, gdyby połów był obfity, tymczasem nie mieli nawet co jeść.

– Zarzućcie sieci! – nalegał Jezus.

Posłuchali Go, gdyż tak wielkim cieszył się szacunkiem, że nie śmieli odmówić.

Jezioro, jeszcze niedawno tak nieprzychylne, naraz wypełniło się rybami. Były ich setki, tysiące. Gdy rybacy wyciągnęli sieci, napełnili rybami dwie ogromne łodzie, obciążając je tak, że mało co nie utonęły. Trudno sobie wyobrazić ich szczęście!

Jednak niektórzy spośród nieobecnych nie dowierzali. Czy ten fakt rzeczywiście się wydarzył? Wiele osób twierdziło, że tak i od tej chwili nie chciało już odejść od Jezusa.

Piotr nawet padł na kolana.

– Panie, odejdź ode mnie – rozpaczał – bo jestem człowiekiem grzesznym.

W obliczu wielkości Jezusa, która stanowiła odbicie mocy Bożej, czuł się nieszczęsnym, małym człowiekiem. Lecz Jezus pocieszył go i po raz pierwszy, od kiedy się poznali, napomknął o zadaniu, jakie mu będzie powierzone, to jest przywódcy Kościoła.

– Nie bój się – rzekł – będziesz rybakiem ludzi.

Wczoraj wieczorem w czasie mojej opowieści Piotruś usnął i być może przyśnił mu się plusk fal i trzepotanie ryb w blasku księżyca, który dwa tysiące lat temu oświetlał jezioro Genezaret.

Następnego wieczoru już od ponad godziny usiłuję odciągnąć go od telewizora.

– Czy wiesz, że już późno? Jutro musisz iść do szkoły – przypominam mu.

– Jeszcze tylko pięć minut, babciu – usiłuje targować się ze mną.

– Od dawna mówisz: tylko pięć minut. Nie jesteś posłusznym dzieckiem. Gdy Jezus miał iść do łóżka, nigdy nie marudził.

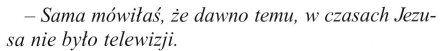

– Sama mówiłaś, że dawno temu, w czasach Jezusa nie było telewizji.

Rzeczywiście, ma rację. Powstrzymuję się, żeby się nie roześmiać.

– A więc oglądaj sobie dalej – mówię. – Zatem dziś nie będzie opowieści o Jezusie. Jeśli pójdziesz późno spać, jutro rano nie będziesz chciał wstać.

Obserwuje mnie zmieszany.

– Szkoda, chciałam ci dziś opowiedzieć o wielu cudach, jakie Jezus uczynił.

– Już mi opowiadałaś o cudach!

– O niektórych, a uczynił ich bardzo wiele!

Spogląda na telewizor, bijąc się z myślami: jest film rysunkowy, bardzo zabawny.

– Chodźmy do łóżka, chcę posłuchać o cudach.

Przed rozpoczęciem opowieści dziękuję Jezusowi za ten mały, osobisty cud: że udało mi się oderwać Piotrusia od telewizji i to bez jednej łzy, bo chciał posłuchać dalszej o Nim historii.

Jezus, czarodziej miłości

Jeden gest, jedno słowo...

 jak bardzo Jezus stał się znany w Galilei. Gdy powrócił do Kafarnaum, dom, w którym gościł, był dosłownie oblężony przez tłum ludzi, którzy chcieli z Nim porozmawiać, prosić o pomoc, czy po prostu zobaczyć Go.

W mieście tym żył pewien biedny człowiek, który od lat, na skutek nieuleczalnej choroby, nie miał władzy w rękach i nogach. Unieruchomiony z tego powodu, spędzał dzień za dniem przykuty do łóżka, nie mogąc nawet wziąć sobie garnuszka wody.

Biedaczysko! Jakże często pragnął śmierci, która wyzwoliłaby jego i osoby, które kochał. On również słyszał o Jezusie i o cudach, jakie czynił.

Podczas długich godzin samotności myślał o Nim i oddałby wszystko, aby tylko móc porozmawiać z Nim choć przez chwilę. Gdy dowiedział się, że Jezus wrócił do Kafarnaum, błagał rodzinę, by go do Niego zaniosła.

Nie było to takie proste. Trzeba go było bowiem przenieść wraz z łóżkiem, ale po raz pierwszy prosił o coś dla siebie i tak mu na tym zależało, że jego najbliżsi postanowili spełnić tę prośbę.

Trzeba było czterech osób, by przenieść go wraz z łóżkiem. Lecz gdy doszli już przed dom Jezusa, zatrzymali się przygnębieni. Cały trud na próżno! Przed drzwiami panował taki ścisk, że nie sposób było wejść.

Lecz paralityk nie dawał za wygraną. Jezus był tak blisko, musiał z Nim porozmawiać! Przyszedł mu do głowy pewien pomysł. Dom był niski, jednopiętrowy, jak wszystkie ówczesne budynki. Wskazał dach.

– Wejdźmy tędy – poprosił. – Zróbmy przejście od góry i w ten sposób dostaniemy się do środka.

Był to niedorzeczny pomysł, lecz biedaczysko tak był uszczęśliwiony, że nie mieli serca mu odmówić.

Jak trudno było wspiąć się na dach, nie upuszczając chorego, wyciąć otwór i wsunąć weń łóżko! Lecz oczy paralityka błyszczały nadzieją i widzieli, że pierwszy raz w całym jego smutnym życiu naprawdę zależy mu na czymś.

Trudno wyobrazić sobie zdziwienie wszystkich, gdy ujrzeli, jak nagle sufit rozchyla się i z góry spuszcza się łóżko, na którym leży unieruchomiony nieszczęśliwiec.

Tylko Jezus nie okazywał zdziwienia. Zbliżył się do człowieka i rzekł mu ze słodyczą:

– Odpuszczają ci się twoje grzechy.

Paralityk poczuł spokój, otuchę, niemal radość. Ale ludzie skupieni wokół niego i Jezusa uśmiechali się ironicznie.

Każdy mógłby wypowiedzieć takie zdanie, lecz wiadomo, że jedynie Bóg może naprawdę odpuścić grzechy.

Jezus wyczytał te myśli w ich duszach.

– Czy według was – zapytał – łatwiej jest powiedzieć temu człowiekowi, że grzechy są mu odpuszczone, czy też sprawić, by się podniósł i zaczął chodzić?

Odpowiedź była oczywista, ale teraz nikt się nie śmiał. Wszyscy spoglądali na Jezusa, który nie odrywał wzroku od paralityka i zdawało się, że z Jego oczu bije tajemnicza moc.

– Żebyście wiedzieli, iż mam władzę odpuszczania grzechów, rozkazuję ci: wstań, weź swoje łoże i idź – zwrócił się do paralityka.

Ten nie kazał sobie tego dwa razy powtarzać. Od lat nie wstawał z łóżka, lecz czuł się pełen sił i życia, wziął łoże na plecy, jakby to było piórko, jeszcze uśmiechnął się na odchodnym do Jezusa. A wszyscy patrzyli na niego w osłupieniu.

Jedynie on sam, cudownie uzdrowiony, nie był zdziwiony. Był przekonany, że jeśli Jezus chce, potrafi uzdrowić. A teraz przywrócił mu radość poruszania się, chodzenia, radość ścigania się z wiatrem, ruszania rękami i nogami. Serce przepełnione miał szczęściem.

Chleba i ryb pod dostatkiem

Ilu ludzi szło za Jezusem! Zbierali się wokół Niego i nigdy nie mieli dość słuchania Jego nauk. Nie odczuwali zmęczenia, głodu ani potrzeby snu. Jego głos tak działał na ludzi, jak czarodziejska fujarka na myszy: rzucał na nich urok.

Nie było w tych czasach mikrofonów ani wzmacniaczy, lecz głos Jezusa docierał wprost do serc tych, którzy Go słuchali, sprawiając, że zapominali o wszystkim.

Zrobiło się już późno. Jezus przemawiał długo i wieczorny cień spowijał wciąż liczniejszy tłum.

– Ilu ich jest? – zadawali sobie pytanie uczniowie Jezusa, rozglądając się wokoło.

Wydawało się, że są ich tysiące. W pewnym momencie zaniepokoili się o tych wszystkich ludzi. Należało uprzedzić Nauczyciela. Znali Go dobrze. Gdy zaczynał mówić, nie dostrzegał upływu czasu.

– Już późno – szeptali Mu. – Lepiej by było, gdybyś odesłał ten cały tłum. Jeśli się pospieszą, znajdą jeszcze coś do jedzenia w pobliskich miasteczkach albo wsiach.

Jezus spojrzał na tłum. Byli tam mężczyźni, kobiety, dzieci. Jakże ich wszystkich kochał!

– Muszą być głodni – przypuszczali uczniowie.

– Naprawdę? Dlaczego zatem nie zatroszczycie się, by ich nakarmić? – zapytał Jezus.

– My?! – rzekli uczniowie.

W pobliżu nie było żadnych sklepów, a poza tym, by nakarmić tak ogromny tłum, potrzeba było mnóstwa pieniędzy.

– Jak mamy nakarmić tak ogromny tłum?

– Nic ze sobą nie przynieśliście?

Nie, nic ze sobą nie przynieśli, albo prawie nic.

– Mamy pięć bochenków chleba i parę ryb – wytłumaczyli uczniowie.

Jezus nie zmieszał się wcale. Zarządził, by ludzie usiedli na trawie w grupach po pięćdziesiąt lub po sto osób. Następnie wziął pięć chlebów i dwie ryby, pobłogosławił i kazał uczniom rozdać je pomiędzy ludzi.

Jaki był pyszny ten świeży, chrupiący chleb! Również ryby były smaczne i wszyscy jedli z radością, zaspokajając całodniowy głód. A gdy najedli się wszyscy i nikt nie mógł zjeść już ani kęsa, zebrali resztę chleba i ryb, napełniając nimi po brzegi dwanaście koszy.

Uczniowie rozglądali się dookoła z niedowierzaniem. Było tam z pięć tysięcy osób, a może nawet i więcej, a nikt nie pozostał głodny.

Tymczasem Jezus uśmiechał się w duszy, widząc ich poruszenie. Biedni ci Jego uczniowie, tak nierozumni! Jak mogli pomyśleć, że dałby umrzeć z głodu wszystkim tym ludziom, którzy wszystko porzucili, żeby tylko być przy Nim!

Chłopcze, wstań! I zmarły wstał

Kolejne cudowne zdarzenie miało miejsce w mieście zwanym Naim.

Gdy Jezus właśnie nadchodził, oczom Jego ukazał się smutny pochód. Odprowadzano na cmentarz zmarłego dzień wcześniej chłopca, jedyne dziecko wdowy.

Jakże szlochała nieszczęsna kobieta! Dwie osoby podtrzymywały ją, gdyż z trudem mogła się poruszać, zdruzgotana ciężarem swego bólu.

W tę koszmarną podróż odprowadziła już swego męża, lecz teraz był to jej ukochany syn, jedyne dziecko, jakie wydała na świat, wykarmiła i wychowała. Ile by dała, by móc również umrzeć, by pójść za nim do grobu i nie wracać do pustego, smutnego życia.

Jezus widział łzy tej kobiety, słyszał jej szloch.

Może pomyślał o łzach swojej ukochanej matki, które wyleje, gdy odbiorą jej jedynego Syna. Na pewno poczuł ogromne współczucie.

Zbliżył się do kobiety i poprosił, by przestała płakać. Pochód tymczasem się zatrzymał i Jezus dotknął trumny.

– Chłopcze, do ciebie mówię, wstawaj!

Jak można nie posłuchać Bożego rozkazu?

Chłopiec usiadł. Rozejrzał się dookoła zdziwiony, jakby budził się z głębokiego snu.

– Co się dzieje? – zapytał.

Jezus zostawił go w ramionach matki, a ona, pełna niedowierzania, ale szczęśliwa, płakała, ściskała i całowała swoje, przywrócone życiu, dziecko. Oddał go jej cud zrodzony z miłości i współczucia.

Jezus na nartach wodnych... bez nart

Innym razem Jezus namówił swoich uczniów, by udali się łodzią do Betsaidy, na drugi brzeg jeziora Genezaret.

Chciał pobyć trochę w samotności. Zawsze otaczali Go ludzie, których trzeba było pouczyć, pocieszyć, zganić, wyleczyć, którzy jednym słowem potrzebowali pomocy. Coraz mniej miał czasu dla siebie, by móc, modląc się, porozmawiać ze swym Ojcem.

Tej nocy potrzebował spokoju i skupienia, by umocnić się w modlitwie.

Po paru godzinach jednak zorientował się, że łódź z Jego uczniami stoi nieruchomo na środku jeziora. Wiał przeciwny wiatr i widać było, że ci biedacy są zmęczeni walką z falami, nie mogąc dopłynąć do brzegu.

Jezus zlitował się nad nimi. Niebezpieczeństwo było duże. Wiedział, że nie odpoczywali od wielu godzin i pomyślał, że należy przyjść im z pomocą.

Łódź otoczona była wodą, lecz o to Jezus się nie troszczył. Zamyślony, chyba nawet nie zauważył tego, że aby do niej dojść, musi iść po falach. Szybkim krokiem zaczął zmierzać ku łodzi z przyjaciółmi, a woda pod Jego stopami zamieniała się w twarde podłoże.

Uczniowie ujrzeli jasną Postać zbliżającą się do nich po wodzie i ogarnął ich strach.

– Ratunku! – krzyczeli. – Kto to? To pewnie duch!

Trzęśli się z przerażenia, tuląc się do siebie dla dodania odwagi i dopiero gdy posłyszeli głos Jezusa, uspokoili się.

– To Ja, nie bójcie się! – zapewnił ich Jezus.

Wszedł do łodzi, lecz podmuchy wiatru były tak gwałtowne, że nie było mowy o wiosłowaniu w jakąkolwiek stronę.

Łodzią kołysało we wszystkie strony i biedni uczniowie umierali ze strachu, patrząc z przerażeniem na ciemne wody jeziora, zdające się wciągać ich w swą otchłań.

Jezus uśmiechnął się, widząc ich strach. Uniósł rękę i naraz wiatr ucichł, toń jeziora stała się jak zawsze gładka, a uczniowie umilkli jak trusie.

Moc Jezusa napawała ich dumą, ale też strachem.

W ich sercach kłębiły się bardzo różne uczucia: niepokój, miłość, strach.

Łazarzu, Łazarzu, wyjdź na zewnątrz!

Łazarz z Betanii, serdeczny przyjaciel Jezusa, miał dwie siostry, Martę i Marię. Razem we czwórkę spędzili wiele miłych i szczęśliwych chwil.

Pewnego razu, Jezus przebywał i nauczał w Jerozolimie. Dowiedział się tam, że Łazarz ciężko zachorował. Pospieszył więc do Betanii, aby odwiedzić przyjaciela. Betania nie leży daleko od Jerozolimy, lecz zanim Jezus do niej przybył, minęło kilka dni.

Gdy w końcu dotarł do domu przyjaciela, było już po wszystkim. Łazarz umarł, powalony straszliwą chorobą.

Marta i Maria rozpaczały. Wyszły na spotkanie Jezusa, On zaś przeraził się ich wyglądem: ich spuchniętymi od nadmiernego płaczu twarzami i czerwonymi od łez oczami.

Utracić brata to straszna boleść, gdyż tyle jest w życiu pięknych, odległych wspomnień, którymi tylko z nim siostry mogły się dzielić.

– Gdybyś był przy nim, nie umarłby – obwiniały Go zrozpaczone siostry Łazarza.

Ich wiara w Jezusa była równie wielka jak ich rozczarowanie i rozpacz, że był daleko i nie zdołał uzdrowić brata.

– Gdzie on jest? – zapytał Jezus.

– W grobie. Pochowałyśmy go cztery dni temu.

– Chodźmy do niego.

Wszyscy udali się na grób Łazarza.

W tym smutnym pochodzie słychać było tylko stukot sandałów i szloch. Od czasu do czasu czyjś głos, łamiący się od płaczu, wzywał Łazarza. Był on dobrym człowiekiem, łagodnym i był młody, zbyt młody, by umierać.

Jezus zatrzymał się przed grobem; myślał o przyjacielu, którego już nie było.

Znali się od lat, kochali się bardzo, wiele razem przeżyli. Wspólne podróże, kolacje, długie rozmowy.

Żal i cierpienie, jakie odczuwali ci, co go kochali, były tak wielkie, że Jezus wybuchnął płaczem.

Wszyscy byli zaskoczeni. Rzadko zdarzało się widzieć Go płaczącego.

– Spójrzcie, jak go kochał – rzekł ktoś.

„Skoro tak go kochał, mógł go uratować" – pomyślał ktoś inny. – „Uczynił tyle cudów, mógł także uzdrowić chorego przyjaciela".

Grobowiec, w którym pochowano Łazarza, był czymś na kształt pieczary, przy wejściu do której spoczywał olbrzymi kamień.

– Odsuńcie ten kamień – rozkazał nagle Jezus.

Marta, jedna z sióstr zmarłego, spuściła głowę.

– Nie żyje już od czterech dni – przypomniała ze łzami. – Nic już się nie da zrobić.

Chciała przez to powiedzieć, że to biedne, umiłowane ciało jest już w stanie rozkładu; śmierć z pewnością rozpoczęła już swe dzieło.

– Czyż nie powiedziałem ci, że jeśli uwierzysz, ujrzysz chwałę Bożą? – zapytał łagodnie Jezus.

Odsunęli kamień.

Jezus złożył ręce, wzniósł oczy do nieba. Modlił się całym swym sercem do Ojca.

„Dziękuję, Ojcze mój, że dajesz Mi wszystko, o co Cię proszę" – modlił się. – „Proszę Cię, byś wskrzesił mojego przyjaciela, również po to, by przekonać tych, którzy nie wierzą, że to Ty Mnie przysłałeś".

Następnie zawołał głośno:

– Łazarzu, wyjdź na zewnątrz!

Zmarły natychmiast podniósł się z grobu. Był od stóp do głów owinięty opaskami, lecz jego twarz zwrócona była do Jezusa, a usta śmiały się.

– Zdejmijcie mu opaski i pozwólcie mu chodzić – poradził Jezus oniemiałym ze zdziwienia ludziom.

Łatwiej było zwyciężyć śmierć niż ludzką niewiarę! Wielu uwierzyło w Jezusa, gdy dokonał tego wielkiego cudu, lecz wielu też ogarnął strach i pobiegli do Jerozolimy, do faryzeuszy, by oskarżyć Go.

– To na pewno czarownik – mówili. – Trzeba się Go bać.

Milknę, zachrypnięta od długiego opowiadania, lecz mój wnuczek nie jest jeszcze zmęczony.

– Nie ma już innych cudów? – pyta.

– Jest ich jeszcze wiele, ale by je opowiedzieć, musielibyśmy nie spać całą noc. Opowiedziałam ci te, które sobie przypomniałam.

– Przypomnij sobie jeszcze jakieś – nalega.

– Kochanie, już późno, musisz spać.

– Kiedy Jezus był mały, nie potrafił jeszcze robić cudów? – zapytał Piotruś.

– Myślę, że nie. Pierwszym cudem, o którym mówi Ewangelia, to ten w Kanie.

– A ty mi opowiadałaś o ptaszkach, które pofrunęły – na jego twarzy pojawiło się zdziwienie.

– Ale to tylko legenda, podanie z czasów pierwszych chrześcijan, tego nie ma w Ewangelii.

– Opowiedz mi jeszcze jeden cud z czasu, kiedy Jezus był mały.

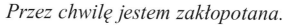

Przez chwilę jestem zakłopotana.

– Hmm, mogę ci powiedzieć, że kiedy Maria, mama Jezusa, źle się czuła, on natychmiast ją leczył.

– Naprawdę? A jak to robił?

– Kiedy Matkę Bożą bolała głowa, dawał jej buziaka i od razu czuła się lepiej.

– Ja też potrafię uczynić taki cud! – cieszy się zadowolony Piotruś. – Zawsze, gdy mamę boli ząb, całuję ją w to miejsce i ona od razu jest zdrowa!

Głaszczę go ze wzruszeniem po czole.

– Już późno, musisz spać.

– Ale jutro wieczorem będzie dalszy ciąg.

– Naturalnie, będzie dalszy ciąg.

Ziewa sennie.

– Bardzo podoba mi się historia o Jezusie.

Kim jest Jezus?

Nawet uczniowie często zastanawiali się, kim jest Jezus. Wielu z nich szło za Nim od początku, pozostawiając rodzinę, pracę, przyjaciół.

A mimo to nie potrafili powiedzieć, kim jest.

Kim był ten Człowiek mówiący niesłyszane dotąd słowa, który przemieniał wodę w wino i rozmawiał z Bogiem tak poufale jak z ojcem – tym Bogiem, którego imienia prawo zabraniało nawet wymawiać?

Kim był ten Jezus, który krytykował postępowanie faryzeuszy, a potem siadał do stołu z celnikami i grzesznikami? Kim był ten Człowiek – czasem twardy, surowy, wymagający, czasem zaś czuły, pełen litości i miłości dla każdego, kto choć trochę cierpi?

Mgła spowijała postać Jezusa, On zaś nic nie robił, by tę mgłę rozwiać.

Tak naprawdę miał nadzieję, że przynajmniej Jego przyjaciele odkryją w swych sercach tę tajemnicę, że ich wiara sprawi, iż okrywająca Go mgła rozwieje się.

Biedni uczniowie! Kochali Jezusa z całego serca, nawet Judasz, zdrajca, prawdopodobnie kochał Go, lecz byli więźniami swojego egoizmu, swoich lęków, wątpliwości, marzeń o wielkości wypełniających ich dusze, co często wprawiało Nauczyciela w rozgoryczenie.

Byli świadkami tylu cudów, iż trwali w przekonaniu, że jest Osobą wyjątkową.

– Może to kolejny prorok – mówili, zastanawiając się, kim jest Jezus. A może to bohater narodowy, który wyzwoli Izrael z niewoli rzymskiej. A może... może to naprawdę Mesjasz, Zbawiciel. Jak wspaniale było, gdy udawało im się uwierzyć, gdy byli świadkami uczynionego przez Niego cudu albo po prostu przez pewien czas przebywali blisko Niego.

Lecz codzienna rzeczywistość niosła zmęczenie, polemiki i wątpliwości. Uczniowie, a także apostołowie Jezusa, byli zwykłymi ludźmi i ich reakcje były też ludzkie. Tak więc czasami wątpliwości brały górę nad wiarą i wtedy nawet miłość w ich sercach nie była taka wielka.

Słowa, które zwyciężają czas

Pewnego razu Jezus wszedł wraz z uczniami na górę, znajdującą się na północny zachód od Kafarnaum.

Wszyscy usiedli na trawie, Jezus zaś usiadł w środku i zaczął do nich przemawiać. Tłum był ogromny, lecz donośny głos Jezusa dosięgał i tych siedzących daleko, więc wszyscy słyszeli, co mówił.

– Błogosławieni ubodzy duchem, albowiem do nich należy Królestwo niebieskie – mówił Jezus. – Błogosławieni ci, którzy płaczą, gdyż zostaną pocieszeni. Błogosławieni łagodni, albowiem oni zwyciężą. Błogosławieni ci, którzy odczuwają głód i pragnienie, albowiem będą nasyceni. Błogosławieni ci, którzy współczują innym, gdyż Bóg nad nimi się ulituje. Błogosławieni ci, którzy mają czyste serce, albowiem ujrzą Boga. Błogosławieni ci, którzy walczą o pokój, albowiem staną się dziećmi Bożymi. Błogosławieni prześladowani za walkę o sprawiedliwość, albowiem trafią do Raju.

Echo słów Jezusa przemierza ciszę czasu, dociera także dziś do tych, którzy cierpią, by ich pocieszyć. Dociera do uwięzionych i walczących, i do wielu, którzy w taki czy inny sposób są prześladowani lub są ofiarami niesprawiedliwości.

Jakie to pocieszające, że słowa Jezusa nawet tysiące lat po nas będą niosły pocieszenie wszystkim, którzy cierpią!

Tłum otaczający tamtego dnia Jezusa składał się ze zwykłych ludzi. Było wielu chorych i takich, co czuli się dobrze, ale zaznali już w swoim życiu cierpienia. Każdy z nich opłakiwał już utratę bliskiej osoby, rozpaczał z powodu przegranej na skutek rozczarowania, zdrady przyjaciela.

Było to bardzo pocieszające usłyszeć od Jezusa, że ich cierpienie przemieni się w radość na tamtym świecie.

Po wysłuchaniu słów Jezusa wszyscy się poczuli silniejsi i przepełnieni nadzieją. Królestwo niebieskie, o którym opowiadał, zdawało się bliskie, osiągalne dla wszystkich.

Historia o kazaniu na górze była chyba trochę trudna. Spostrzegam, że Piotruś usnął.

Następnego dnia rano podczas śniadania robi dziwną uwagę.

– Zdolny ten Bóg: stworzył niebo. W gruncie rzeczy to nic trudnego stworzyć ziemię i morze: wystarczyło wziąć cztery kamienie i trochę wapna do ziemi oraz parę kubłów wody do morza. Ale stworzyć niebo musiało być bardzo trudno!

– Ale Bóg nie miał ani kamieni, ani wapna, ani wody, ani tym bardziej kubłów, by je nią napełnić – uśmiecham się do niego. – Nie miał nic. Wszystko stworzył z niczego.

Moje słowa zdumiewają go.

– Był bardzo zdolny! – powtarza.

– A według ciebie, jaka jest najpiękniejsza rzecz, jaką stworzył? – pytam.

– Mamusie – odpowiada bez zastanowienia.

Wzrusza mnie ta odpowiedź.

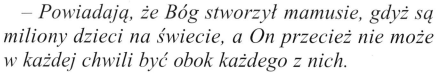

– *Powiadają, że Bóg stworzył mamusie, gdyż są miliony dzieci na świecie, a On przecież nie może w każdej chwili być obok każdego z nich.*

Piotr słucha mnie z szeroko otwartymi, uważnymi oczyma, a ja go przytulam na chwilę do serca.

– *Ale i dzieci są cudowne – dodaję. – Wspaniały ten Bóg, że wymyślił dzieci!*

Przytakuje z zadowoleniem.

– *Był też wspaniały, kiedy wymyślił tatusiów.*

– *Tak, to prawda.*

Całuje mnie.

– *Nieźle też, że wymyślił babcie – przyznaje.*

Miło mi się zrobiło. On tymczasem gryzie bułeczkę, którą trzyma w dłoni i mówi:

– *Udało mu się też, kiedy stworzył bułkę i serek!* – *wzdycha z zachwytem.*

Jezus: miłość i nienawiść

Byli tacy, którzy zostawiali ukochaną rodzinę, swoich bliskich, pracę i szli za Nim. Byli tacy, których Jego fascynująca Osoba przyciągała, a zarazem niepokoiła, gdyż nie rozumieli Jej tajemnicy.

Byli też tacy, którzy chyba Go nie rozumieli i dlatego nienawidzili; przede wszystkim uczeni w Piśmie i faryzeusze, gdyż mieli złych nauczycieli, uczących innego spojrzenia na rzeczywistość i innego odnoszenia się ludzi do siebie.

W czasach tych panowało „prawo odwetu": oko za oko, ząb za ząb. Rzadko kiedy przebaczano, a dobroć traktowano niemal jak słabość.

Jezus natomiast marzył o świecie, w którym królowałoby zawsze dobro.

– Jeśli uderzą cię w policzek, nadstaw drugi – przekonywał. – Nienawiść zabija – głosił w czasach, gdy zajadłym kłótniom, i to z byle powodu, nie było końca. Również w stosunku do bogaczy postawa Jezusa różniła się.

Bogacze byli wyniośli, szanowano i bano się ich, zazdroszczono im. Jezus natomiast okazywał litość tym wszystkim, którzy posiadali zbyt dużo pieniędzy, władzy, potęgi.

– Łatwiej jest wielbłądowi przejść przez ucho igielne, niż bogatemu wejść do Królestwa niebieskiego – głosił, a bogacze czuli się obrażeni, zaś biedacy zadziwieni.

Początkowo Jezus ostro występował przeciwko faryzeuszom i przeciwko każdemu, kto chwalił się swym miłosierdziem. Twierdził, że dobro należy czynić w cichości serca i że prawa ręka nie może wiedzieć, co czyni lewa ręka.

– Za czym się tak uganiacie? – dziwił się Jezus, widząc, jak ludzie się trudzą, żeby zdobyć pieniądze, żeby się wyróżniać. – Martwicie się tylko o to, co będziecie jeść, w co się ubierzecie. Spójrzcie na lilie polne i na ptaki: nie sieją, nie

koszą, nie gromadzą bogactw, a Ojciec niebieski myśli o nich i nawet Salomon, przy całym swoim bogactwie, nie posiadał nigdy tak pięknej szaty, jak najmniejsza choćby lilia. Módlcie się – upominał Jezus – módlcie się z ufnością do Ojca waszego w niebie. Pukajcie, a będzie wam otworzone – obiecywał, ufając, że nadzieja zwrócona w dobrym kierunku nigdy nie zawiedzie.

Z każdym dniem przybywało wiernych i wielbicieli Jezusa, lecz niestety również przybywało tych, którzy się Go bali i nienawidzili.

Niektórzy możni i wpływowi, do których głównie odnosiły się upomnienia Jezusa, zaczynali mówić, że Jego słowa mogą zbuntować lud i nie spodobać się Rzymianom.

Ten młody Człowiek z rozwianym włosem, który przemierzał wzdłuż i wszerz Galileę, prowadząc za sobą tłum oberwańców, stał się groźny: należało się Go pozbyć.

Wielki grzech Heroda

Również Herod był wzburzony. Był on tetrarchą Galilei, regionu, w którym sława Jezusa urosła najbardziej, podsycana opowieściami o licznych Jego cudach. Wszyscy o Nim mówili, imię Jego wypowiadane było w domach, na rynku, na jarmarkach, nawet podczas świąt, słuchając muzyki i gawędząc, schodzono na Jego temat.

„Co to za typ?" – pytał się w duchu Herod. – „Czego chciał od jego ludu?" Herod popełnił ciężki grzech, lecz starał się o tym nie myśleć, pogrzebać to wspomnienie, wynajdując sobie liczne zajęcia i rozrywki. Nie zawsze jednak to się mu udawało.

Gdy tylko pozostawał sam, widział oczy Jana Chrzciciela, obserwujące go z uciętej głowy z niemym pytaniem o powód jego niezasłużonej śmierci. Herod rozkazał pozbawić życia Jana Chrzciciela, choć wcale nie chciał, by prorok zginął. Władca został wplątany w całą tę historię i nie miał już możliwości albo nie wiedział, jak się wycofać.

Wieczorem w dniu urodzin Heroda cały dwór zebrał się na ucztę. Salome, córka Herodiady, jego kochanki, tańczyła dla niego. Śliczna dziewczyna tańczyła z takim wdziękiem, że wszystkich zachwyciła i Herod pod wpływem chwili obiecał, że uczyni wszystko, o co ona poprosi, choćby to miała być nawet połowa jego królestwa.

Herod był przekonany, że dziewczyna poprosi o świecidełka, bogactwa, zaszczyty, ale Salome poprosiła matkę o radę. Herodiada, będąc królewską kochanką, posiadała już wszystkie świecidełka i bogactwa, jakich pragnęła. Mogła je stracić jedynie wtedy, gdyby straciła Heroda. Jedna tylko osoba zagrażała jej związkowi z władcą: Jan Chrzciciel.

Wtrącony do obskurnego więzienia nie przestawał się modlić i wytykać królowi jego niemoralnego życia. Herodiada wiedziała, że prędzej czy później król da się przekonać i porzuci ją. Bała się, gdyż Chrzciciel był bardzo sławny, kochany przez lud, a ten, kto nie kochał proroka, obawiał się go.

– Poproś o głowę Jana Chrzciciela – rozkazała Herodiada swej córce.

Dziewczyna usłuchała, a groza i przestrach, jaki poczuła, były dla niej czymś nowym i przyjemnym.

Herod chciał odmówić, ale dał słowo i cały dwór to słyszał. Nie chciał stracić autorytetu, zatem rozkazał, by Janowi Chrzcicielowi ścięto głowę.

Głowa Jana Chrzciciela została podana Salome na tacy, ona zaś podarowała ją matce. Przez chwilę jednak wzrok króla spotkał się z oczami Jana i serce podskoczyło mu do gardła, gdyż oczy te, pełne łez, przeszyły go.

Łatwo sobie wyobrazić, jaki ból Jezus poczuł na wieść o śmierci swego serdecznego przyjaciela. Uczniowie Jana zabrali jego ciało i pieczołowicie złożyli w grobie.

Tymczasem Herod pośród bezsennych nocy widział te oczy. Nie mógł uciec przed tym wzrokiem i pewnej nocy przyszła mu do głowy dziwna myśl. Może to Jezus przybrał postać Jana, który powrócił na ziemię, by się na nim zemścić?

Herod bał się tego Człowieka, podobnie jak przed trzydziestu laty jego ojciec bał się narodzonego w Betlejem Dziecka.

Jezus pyta: kim jestem?

Pewnego razu Jezus przyszedł ze swoimi wiernymi uczniami w okolice Cezarei Filipowej. Szli długo, za nimi szło mnóstwo ludzi, teraz nareszcie zostali sami.

Jezus co pewien czas dostrzegał na sobie spojrzenie Piotra, to znów Andrzeja czy Judasza.

Czytał w ich sercach i wiedział, że byli speszeni, zaniepokojeni i niepewni, w co mają wierzyć.

Jezus czuł dla nich litość, a także wdzięczność. Pomimo wątpliwości szli z Nim, nigdy Go nie opuszczali, zostawili dla Niego swe domy i rodziny.

Spojrzał na Judasza, a ten uśmiechnął się. Kochał Judasza, także Judasz Go kochał.

Judasz był szczęśliwy, że Nauczyciel go dostrzegł. Jezus rzadko okazywał Judaszowi względy. Jan, najmłodszy, był najbardziej umiłowanym uczniem Jezusa. Z Piotrem zawsze najdłużej rozmawiał. Judasz czasem myślał z goryczą, że Jezus kocha go najmniej. Gdy tak myślał, czuł się bardzo nieszczęśliwy. Nie zdawał sobie sprawy, że jest zazdrosny i że zazdrość to niedobra postać miłości.

Wierzył jednak, że Jezus jest naprawdę wybawicielem ludu, wyczekiwanym królem Izraela, który wyzwoli jego naród z niewoli rzymskiej.

Tłum ludzi idący za Nauczycielem uspokajał go.

Jezus miał ogromną władzę nad tą masą ludzi; Judasz był przekonany, że na jeden gest Jezusa wszyscy zrobią to, co zechce, nawet chwycą za broń i staną do walki.

– Co mówią o mnie ludzie? – zapytał nagle Jezus.

Nikt nie odpowiedział, Jezus chciał jednak wiedzieć. Zatrzymał się, zmuszając także ich, aby się zatrzymali.

– Za kogo ludzie uważają Syna Człowieczego?

– Jedni za Eliasza – odrzekł któryś.

– Inni uważają, że jesteś prorokiem.

– Herod myśli, że jesteś wcieleniem Jana Chrzciciela.

Jezus spoglądał na twarze swych przyjaciół i Jego oczy pociemniały od smutku.

– A wy za kogo Mnie uważacie? – zapytał ich.

– Ty jesteś Chrystus, Syn Boży – odrzekł Piotr.

Wszyscy spojrzeli na niego ze zdziwieniem. Tyle razy rozmawiali między sobą o Nauczycielu i Piotr zawsze podzielał ich wahania, ich niepewność. Teraz z kolei wydawał się bardzo pewny swojej odpowiedzi.

Tak naprawdę to nawet Piotr zdziwiony był pewnością, z jaką odpowiedział. Nagle objawiła się mu prawda: Jezus jest Mesjaszem, Synem Bożym, który stał się człowiekiem, by zbawić ludzkość.

Jaki to zaszczyt, że to właśnie on został wybrany przez Niego na przyjaciela, że jest przez Niego kochany!

Jezus uśmiechnął się.

Piotr patrzył na Niego i wydało mu się, że oczy Nauczyciela nie są już tak smutne.

– Błogosławiony jesteś Piotrze, gdyż poznałeś prawdę – ucieszył się Jezus.

Piotr poczuł wzruszenie. Teraz był już pewien, a wzrok Jezusa nie był już taki smutny, ale bardzo łagodny, czuły, pełen zrozumienia.

– Ty jesteś Piotr (czyli skała) i na tej skale zbuduję mój Kościół – obiecał uroczyście Jezus. – Dam ci klucze Królestwa niebieskiego; cokolwiek zwiążesz na ziemi, będzie związane w niebie, a co rozwiążesz na ziemi, będzie rozwiązane w niebie...

Piotr poczuł na sobie wielką odpowiedzialność. Modlił się, by potrafił sprostać zadaniu, jakie powierzył mu Jezus. Przypomniał sobie tamten wieczór nad jeziorem Genezaret, kiedy Jezus rzekł mu, że będzie rybakiem ludzi.

„Pomóż mi" – modlił się cicho. – „Jezu, dopomóż mi, bo bez Twej pomocy wcale nie będę skałą, a jedynie zwykłą suchą gałązką potrząsaną przez byle podmuch wiatru".

Najpiękniejsza modlitwa.

Nawet to zdarzenie nie rozwiało wszystkich wątpliwości apostołów. Ciągle dyskutowali między sobą, kim jest Jezus.

Byli pewni tylko jednego: nie było takiego drugiego na świecie jak ich Rabbi, Nauczyciel, drugiego jednocześnie tak pociągającego, prowokującego i zadziwiającego Człowieka.

Wydawało się, że nigdy nie czynił tego, czego inni się spodziewali.

Na przykład w tamtych czasach kobiety uważane były za istoty niższej kategorii. Jezus, dla którego wszyscy ludzie byli równi, okazywał im szacunek i czułość. Nie tylko swej matce, Marii z Nazaretu. Jezus okazał czułość Samarytance, okazał uczucie Marii i Marcie, siostrom Łazarza, wyrozumiałość grzesznicom, przychylność Magdalenie.

Wiele cudów Jezus czynił z myślą o kobietach. Uwolnił opętaną od choroby, uzdrowił biedaczkę cierpiącą od lat na utratę krwi; pewnego dnia, ukryta w tłumie, dotknęła ona rąbka szaty Jezusa, wierząc, że to wystarczy, by ją uzdrowić. I wystarczyło.

Jezus ocalił także dziewczynkę, córeczkę Jaira, przełożonego synagogi. Zrozpaczeni rodzice dziecka płakali, a On rzekł do nich:

– Nie płaczcie, dziewczynka nie umarła, a tylko usnęła – i rzeczywiście dziecko otworzyło oczy, uśmiechnęło się i wszyscy się ucieszyli.

Jezus inaczej też odnosił się do kwestii sobót, łamiąc religijną zasadę tak bliską sercom Żydów. Dla Żydów sobota jest dniem odpoczynku i nauki. Nie można wtedy tknąć żadnej pracy.

Gdy Jezus mógł uczynić coś dobrego, nie patrzył, jaki to dzień. I tak, kiedy spotkał człowieka ślepego od urodzenia i drugiego, nie władającego jedną ręką, nie przykładał do tego wagi, że była to akurat sobota.

Tak Mu się zrobiło żal tych nieszczęśników, że uzdrowił ich. Cuda te, dla niektórych ludzi, tradycyjnie myślących, były skandalem.

Skoro Jego zachowanie gorszyło czasem nawet uczniów, którzy znali Go dobrze, szli wraz z Nim i kochali Go, nietrudno sobie wyobrazić, jak musieli Go nienawidzić uczeni w Piśmie i faryzeusze, których Jezus coraz częściej potępiał w swych przemowach. Dla nich obecność Jezusa stawała się coraz mniej wygodna i bardzo uciążliwa, a w ich mrocznych sercach coraz mocniej zakorzeniała się myśl, by Go zabić.

Jezus wiedział o tym. Był człowiekiem i z całą pewnością myśl o cierpieniach i śmierci napełniała Go lękiem.

Kochał jednak Ojca z całych swych sił i miłość do Niego stanowiła pociechę, gdy nadchodziły myśli o męce, jaka Go czekała. Pewnego dnia nauczył swych przyjaciół pięknej modlitwy, najpiękniejszej ze wszystkich modlitw.

– Znam tę modlitwę – przerywa mi Piotruś.

Nie dziwi mnie jego znajomość religii, ale zawsze wzrusza.

– Odmówmy ją razem – zachęcam.

– Chwała Ojcu i Synowi i Duchowi Świętemu – zaczyna.

– To nie jest modlitwa, której Jezus nauczył uczniów – zwracam mu uwagę. – Modlitwa, której Jezus nauczył, to „Ojcze nasz". Odmówimy ją?

Ojcze nasz, któryś jest w niebie, święć się imię Twoje, przyjdź królestwo Twoje, bądź wola Twoja, jako w niebie tak i na ziemi. Chleba naszego powszedniego daj nam dzisiaj i odpuść nam nasze winy, jako i my odpuszczamy naszym winowajcom. I nie wódź nas na pokuszenie, ale nas zbaw ode złego. Amen.

Prawie całą modlitwę odmówiłam sama. Mogę się więc nie wzruszać jego religijnym wykształceniem.

– W Ewangelii jest też początek innej modlitwy: Zdrowaś Maryjo, łaskiś pełna, Pan z tobą – to słowa, jakimi pozdrowił ją anioł – błogosławionaś ty między niewiastami i błogosławiony owoc żywota twojego, Jezus – to z kolei słowa, którymi przywi-

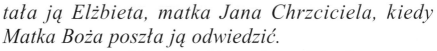

tała ją Elżbieta, matka Jana Chrzciciela, kiedy Matka Boża poszła ją odwiedzić.

– W Ewangelii nie ma innych modlitw?

– Nie, wydaje mi się, że nie.

– Najpiękniejsza modlitwa to „Chwała Ojcu" – zdecydowanie stwierdza Piotruś.

Chwała Ojcu i Synowi i Duchowi Świętemu, jak była na początku, teraz i zawsze, i na wieki wieków. Amen – recytuje w pośpiechu.

Spoglądam na niego zdziwiona.

– Czemu ci się tak podoba? – pytam. – Może dlatego, że zwraca się jednocześnie do Trójcy Świętej, do Ojca, Syna i Ducha Świętego?

Tym razem to on patrzy na mnie ze zdziwieniem.

– Wcale nie – zaprzecza. Na jego twarzy pojawia się szelmowski uśmiech.

– To jest najpiękniejsza modlitwa, bo najkrótsza – wyjaśnia.

Nikt nie pomaga Jezusowi

Jezus wędrował drogami Galilei, wciąż nauczając. Nadal czynił cuda, budził zgorszenie. Ale stale za Nim postępował tłum ludzi, którzy potrzebowali Jego pomocy i chcieli słuchać tego, co chciał im przekazać. Oczywiście byli tam także apostołowie.

Pewnego dnia oznajmił im swą decyzję powrotu do Judei, do Jerozolimy. Przyjaciele zwrócili uwagę na to, że ich Nauczyciel jest niespokojny.

Jego kochane oblicze było smutne, łagodne oczy wyrażały ogromny ból.

Kiedy Jezus był smutny, wszyscy czuli się tak, jakby ciążył im ołowiany kaptur.

– W Jerozolimie dokona się wszystko to, co zapowiedzieli prorocy – rzekł nagle Jezus. – Syn Boży zostanie pojmany i oddany w ręce ludzi. Zostanie wyszydzony, wychłostany, znieważony, a następnie... ukrzyżowany.

Jezus mówił głosem drżącym od łez. Po chwili odzyskał siły i mówił dalej:

– Jednak trzeciego dnia zmartwychwstanie.

Apostołowie byli przerażeni, aż zaniemówili na chwilę. Nie, to niemożliwe, aby to się przydarzyło ich ukochanemu Nauczycielowi.

Nie chcieli, by cierpiał.

Jedynie Piotr miał na tyle odwagi, by wyrazić przestrach, jaki wszyscy odczuwali.

– Nie! – krzyknął w rozpaczy. – Ta straszna rzecz nie może się wydarzyć!

Jak surowo spojrzał na niego Jezus!

„Jak to" – myślał – „potrzebna Mi teraz wiara, odwaga, modlitwy, a tymczasem właśnie moi najbliżsi zamiast pomóc, jeszcze bardziej Mnie zasmucają".

Fizycznie odczuwał ich strach, niepokój.

– Odejdź ode Mnie – rozkazał sucho biednemu Piotrowi, który się poczuł jeszcze bardziej zrozpaczony. – Myślisz nie na Boży sposób, lecz na ludzki.

Jednak w głębi serca apostołowie nadal wierzyli, że Jezus nie umrze.

Jedynie Maria doskonale wiedziała, że zbliża się straszliwy dzień śmierci jej Syna. Każdy dzień, każda godzina przybliżały ją do tej przerażającej chwili i czuła jak do serca jej dochodzi ostrze tego rozżarzonego miecza.

Światło zwyciężające wszelkie ciemności

Pewnego dnia Jezus zaprosił trzech apostołów: Piotra, Jakuba i Jana na przechadzkę na wierzchołek góry.

Możliwe, że była to góra Tabor o wysokości sześciuset metrów, jedna z najwyższych gór Galilei.

Jaki cudny widok rozciągał się stamtąd!

Nauczyciel stanął tyłem do swych uczniów. Jego wzrok szybował nad rozciągającą się pod nimi równiną i wszyscy poczuli się szczęśliwi jak nigdy dotąd. Naraz Jezus odwrócił się. Jego twarz wydawała się promieniować słonecznym blaskiem, a szaty błyszczały, jakby były tkane światłem. Obok Niego pojawili się Mojżesz i Eliasz; to raczej serca, a nie oczy apostołów poznały ich. Całej trójce zdawało się, że jest w niebie. Wszelkie dotychczasowe wątpliwości, obawy i smutki wydawały się dalekie, jakby nigdy nie istniejące.

– Jak pięknie! – westchnął Piotr. – Panie – rzekł – pozwól nam tu pozostać. Postawimy trzy namioty, jeden dla Ciebie, jeden dla Mojżesza, jeden dla Eliasza.

Piotr wyrażał w ten sposób swe pragnienie opiekowania się Jezusem, zaoszczędzenia Mu smutków i cierpień czekających ich po zejściu z góry. Lecz w tym momencie świetlany obłok osłonił trzy postacie i pośród górskiej ciszy zabrzmiał silny Głos: „To jest mój Syn umiłowany, Syn, z którego jestem dumny. Jego słuchajcie!"

Uczniowie padli na kolana, chyląc nisko głowy.

Był to głos Boga, Bóg był z nimi!

Błagali o litość, nie mając odwagi, by unieść wzrok. Serca, jednocześnie wypełnione radością i zdumieniem, waliły w piersi jak oszalałe.

Jak zwykle Jezus zrozumiał ich i zlitował się nad nimi. Zbliżył się, dotknął każdego po kolei w ramię.

– Wstańcie – zachęcił łagodnie.

Wszyscy trzej podnieśli głowy, powieki mieli jeszcze przymknięte ze strachu przed niezwykłą jasnością, która poraziła im oczy.

Przed nimi stał tylko Jezus. Mojżesz i Eliasz zniknęli, nie było ani śladu tego świetlistego obłoku.

Całe szczęście, że obecność Jezusa wypełniała pustkę, w przeciwnym razie nie znaleźliby sił, by powrócić do normalnego życia, tak przeszywające było wspomnienie tego, co przed chwilą przeżyli.

Gdy schodzili z góry, Jezus przykazał im, by nikomu nie opowiadali o tym, co widzieli.

– Opowiecie innym o tym, gdy Syn Człowieczy powstanie z martwych – rzekł.

„A zatem to prawda" – rozpaczał Piotr, nie ośmielając się wymówić ani słowa. – „A więc Jezus naprawdę zginie".

Co mógł zrobić, by Mu pomóc?

Przygnębiony sam sobie odpowiadał, że naprawdę nic nie może uczynić, tylko Go kochać, kochać tak mocno, by jego serce pękło wraz z sercem Jezusa.

Chłopiec, który nie miał dzieciństwa

Gdy Jezus, Piotr, Jakub i Jan zeszli z góry, ujrzeli pozostałych uczniów otoczonych przez olbrzymi tłum. W środku stał człowiek podtrzymujący za ramiona chudego, bladego chłopca o smutnych oczach.

– To mój syn – rzekł człowiek.

Jezus spojrzał na chłopca, a ten odwrócił wzrok, by nie spotkały się ich spojrzenia, podczas gdy wstrząsał nim straszliwy dreszcz.

– Pomocy, opętał go diabeł – zwierzył się zrozpaczony ojciec. – Gdy wstępuje on w niego, mój syn zmienia się nie do poznania!

Głos mu się załamał. Jego syn w tych strasznych chwilach wyglądał jak dzikie zwierzę; zgrzytał zębami, toczył z ust żółtą ślinę, a z gardła wydobywał niezrozumiałe dźwięki. Lecz najbardziej ten nieszczęsny człowiek cierpiał z tego powodu, że w czasie tych strasznych, dzikich napadów nie mógł się nawet zbliżyć do swego dziecka, by je przytulić, tak wielką nienawiść widział w jego oczach.

– Błagałem Twych apostołów, by wyzwolili go z mocy demona, ale nie dali rady – rozpaczał człowiek.

Jezus dał swym uczniom zdolność wypędzania, w Jego imieniu, złych duchów i fakt, że nie potrafili wykorzystać tej umiejętności, zasmucił Go.

Zbliżył się do chłopca, który zaczął się szamotać i wić, jako że siedzący w nim diabeł buntował się na widok Jezusa.

Biedny chłopiec! Wszyscy na jego widok odczuwali litość i strach i byli przekonani, że umrze na skutek tych gwałtownych konwulsji.

– Od jak dawna cierpi? – spytał Jezus, ogarnięty litością.

– Od dzieciństwa – zaczął opowiadać ojciec, patrząc błagalnie na Jezusa. – Często demon wrzuca go w ogień albo w wodę, żeby go utopić. Nie wiem, jak to możliwe, że to moje biedne dziecko jeszcze żyje.

Człowiek spoglądał na Jezusa, a twarz jego pobrużdżona była od łez.

– Jeśli możesz coś dla niego uczynić, pomóż nam – rzekł błagająco.

– Jeśli możesz! – powtórzył Jezus. – Wszystko jest możliwe dla tego, kto wierzy!

– Pomóż mi, bym wierzył mocniej – błagał załamany ojciec.

Wtedy Jezus spojrzał uważnie na chłopca i rozkazał duchowi nieczystemu, który nim zawładnął, by zostawił go w spokoju. Chłopcem wstrząsnęły mocniejsze niż dotąd konwulsje. Każdy, kto go widział, przekonany był, że umiera.

Tymczasem po paru chwilach podniósł się z ziemi. Jego wielkie, jasne i łagodne oczy uśmiechały się. Ojcu nie chciało się wierzyć, że po tylu latach oczekiwań na lepsze czasy w końcu odzyskał ukochanego syna.

– Dlaczego nam się nie udało wyzwolić chłopca od złego ducha? – spytali uczniowie wieczorem Jezusa.

Jezus spojrzał na nich z głębokim smutkiem.

– By pokonać tak mocnego demona, potrzeba głębokiej wiary, pozbawionej jakichkolwiek wątpliwości.

Przyglądał im się po kolei, oni zaś spuszczali oczy, ogarnięci głębokim smutkiem, że nie mają w sobie odpowiednio mocnej wiary.

– Gdybyście naprawdę wierzyli – ciągnął dalej Jezus – moglibyście rozkazać górze, by się przesunęła, a ona by posłuchała.

Apostołowie chcieliby mieć tak mocną wiarę, żeby móc przesuwać góry. Oczywiście nie tylko po to, lecz także aby przywracać innym utracone zdrowie i dawać im choć odrobinkę szczęścia.

Kto pierwszy rzuci kamień?

Nauczyciel był naprawdę wyjątkową Postacią. Apostołowie ciągle znajdowali potwierdzenie tego i byli bardzo dumni.

Umiał poradzić sobie w każdej sytuacji!

Jak wtedy, kiedy przyprowadzili mu tę biedną grzesznicę przyłapaną na cudzołóstwie. Cudzołożnica to kobieta, która zdradza męża i zadaje się z różnymi mężczyznami. Zdrada stanowi także dzisiaj wielki grzech, ale w tamtych czasach uważano ją za przestępstwo, które było karane przez prawo.

Kobiety oskarżone o zdradę kamienowano, to jest zabijano, obrzucając kamieniami.

Przyprowadzono do Jezusa tę kobietę.

– To cudzołożnica! – oskarżali ją i czekali, co Jezus uczyni, zadowoleni, że będą mogli się zemścić. Gdyby bowiem Jezus ją ułaskawił, wszyscy z pewnością krytykowaliby Jego szlachetność, oskarżając, że nie przestrzega praw. Gdyby natomiast skazał ją, biedaczka zginęłaby na Jego oczach, na placu, a wtedy osądzono by Go jako człowieka surowego i bezlitosnego. Wrogowie Jezusa cieszyli się: przygwoździli Go, nie miał wyjścia. Jakkolwiek by nie postąpił, rozczaruje swych uczniów. Jezus spojrzał na kobietę. Drżała z przerażenia przed niechybną karą. Wokół niej gromadził się ciekawski, żądny sensacji tłum. Niektórzy już się schylili, podnieśli kamień i wygrażali nim z gniewną miną.

Jezus zwrócił się do tłumu, przemawiając wyraźnym, grzmiącym głosem.

– Kobieta ta zgrzeszyła i zasługuje na karę, jaką przewiduje prawo – przyznał, podczas gdy z tłumu dobiegł szmer podniecenia.

I patrząc w oczy oskarżycielom, rzekł im.

– Jeżeli ktoś z was jest bez grzechu, niech pierwszy rzuci kamień!

Nagle tłum ucichł tak, że słychać było nawet przelatującą muchę. Jezus dostrzegł zaniepokojenie i czuł, jak każdy w głębi serca dokonuje natychmiastowego rachunku sumienia. Ujrzał, jak dłonie ściskające kamienie jedna po drugiej rozluźniają uścisk, a kamienie upadają na ziemię.

Tłum w pośpiechu zaczął się rozchodzić. Z pewnością żaden z obecnych nie poczuł się na tyle niewinny, by jako pierwszy rzucić kamień. Każdy miał jakieś słabości, każdy był w jakimś sensie egoistą.

Było to coś takiego, jak powszechna spowiedź.

Nauczyciel poczuł głęboką litość i nieskończoną miłość do wszystkich obecnych.

W krótkim czasie nie było już nikogo. Pozostali jedynie apostołowie i stojąca pośrodku, przerażona wciąż kobieta.

– Nikt cię nie potępił? – zapytał Jezus.

Potrząsnęła głową, płacz ściskał jej gardło.

– Nikt, Panie.

– I Ja ciebie nie potępiam – łagodnym tonem wypowiedział Jezus słowa rozgrzeszenia.

– Idź i nie grzesz więcej.

Podatek dla cesarza

A co powiedzieć o tym, jak kolejny raz faryzeusze spróbowali przedstawić Rzymianom Jezusa w złym świetle?

Wiedzieli, że leży Mu na sercu zbawienie ludzi. Ciągle okazywał swą miłość i posłuszeństwo Ojcu niebieskiemu, nigdy zaś cesarzowi. Tak więc pewnego dnia posłali do Niego swych uczniów, by zadali Mu pytanie.

– Czy wolno płacić podatek Cezarowi, czy nie?

Byli pewni, że Jezus zmiesza się, bo będzie musiał dokonać wyboru między Bogiem a cesarzem.

– Pokażcie mi monetę podatkową – rzekł do nich.

Podali mu denara z podobizną Cezara z jednej strony.

– Czyj to obraz? – spytał Jezus.

– Cesarza – odpowiedzieli. – Cezara...

– Oddajcie więc Cezarowi to, co należy do Cezara – rozkazał surowo Nauczyciel – a Bogu to, co należy do Boga.

Biedni faryzeusze! Apostołowie śmiali się, dumni ze swego Nauczyciela, a oni odchodzili zawstydzeni.

Dzieci są ulubieńcami Jezusa

Jezus nie lubił, kiedy uczniowie zaczynali się wywyższać, nawet jeśli to On był powodem ich dumy.

Wybrał On sobie na najbliższych przyjaciół pasterzy, wieśniaków, rybaków, osoby nie potrafiące czytać ani pisać.

A jednak czasami słyszał, jak dyskutowali między sobą, kto stoi najwyżej, a każdy chciał być pierwszy, bardziej widoczny, lepszy od drugiego.

Pewnego razu zadali mu dziwne pytanie.

– Kto jest największy w królestwie niebieskim?

– Największy! – westchnął zasmucony Jezus.

Czy to możliwe, żeby nic nie rozumieli? W królestwie niebieskim jest jedna, bezgraniczna wielkość Ojca, a jedyną miarą jest miłość do Niego.

Nie opodal nich znajdowało się dziecko. Przykucnięte na piętach, z paluszkiem w buzi, spod gęstwiny loków obserwowało Jezusa poważnym wzrokiem.

Jezus z uśmiechem wziął dziecko na ręce i przyniósł je pomiędzy apostołów.

– Nie ma co dyskutować, kto będzie stał wyżej, a kto niżej. Jeśli się nie odmienicie i nie staniecie się jak dzieci, nie wejdziecie do królestwa niebieskiego.

Uczniowie popatrzyli na dziecko, które uśmiechało się szczęśliwe, obejmując Jezusa za szyję.

– Kto się uniży jak to dziecko, ten będzie największy w królestwie niebieskim – zakończył Nauczyciel.

Być może Judasz nie zrozumiał, co Jezus chciał przez to powiedzieć, może też poczuł złość i, jak zwykle, ukłucie zazdrości. Inni natomiast poczuli tęsknotę za swym odległym dzieciństwem, za niewinnością i nadziejami utraconego dzieciństwa, rozumiejąc intuicyjnie, że łatwiej było stać się dużym i ważnym, niż małym i niewinnym jak to dziecko.

– Kto by przyjmie choćby jedno takie dziecko w imię moje, Mnie przyjmie.

Jezu, wybacz mi, dziś goszczę w mym domu troje dzieci zaproszonych przez wnuczka. Są tu nieco ponad godzinę, a ja już nie daję rady, nie mogę już ich znieść. W gruncie rzeczy ten Herod nie był tak okrutny, jak wieść niesie...

Trójka dzieci to Ferdynand, Tadeusz i Mariusz, ciut ponad dwuletni kuzynek, znany w rodzinie jako „mały Mariuszek, który nic nie rozumie".

Dlaczego pozwoliłam, by Piotruś ich zaprosił?

– Piotr! – głośno krzyczę, dosłownie wydzierając go z rąk Ferdynanda.

– Wziął mojego chipsa! – rozpacza Piotrek.

– Nie! Nieprawda, nie wziąłem żadnego chipsa! – przysięga czerwony ze złości Ferdynand.

– Wziął! – skarży Tadeusz. – Widziałem, jak brał chipsa!

– Psa – wtóruje zadowolony Mariuszek.

– A ty bądź cicho, nic ci do tego – krzyczy Piotr, odwracając się do Tadeusza.

– Pytał cię kto? – chce wiedzieć Ferdynand.

Złość na Tadeusza natychmiast jednoczy Piotra i Ferdynanda, którzy rzucają się na niego w obecności zachwyconego Mariuszka.

– Psa! – zachęca ich z widocznym zadowoleniem.

Tadeusz biegnie do salonu, chowa się pod stolik z osiemnastowieczną lampą, która zaczyna się niebezpiecznie chybotać. Sama też drżę, nie bardzo wiedząc, czy ratować dziecko, czy lampę.

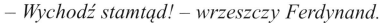

– Wychodź stamtąd! – wrzeszczy Ferdynand.

– Nie! Nie ruszę się stąd! – odpowiada Tadeusz.

– A właśnie że się ruszysz! – wrzeszczy Piotr.

– Nie! Nie! Nie!

– Psa – potwierdza z entuzjazmem Mariuszek.

– Przestańcie! – krzyknęłam tak głośno, że cała czwórka spojrzała na mnie zaskoczona. Wykorzystuję ten moment i wyciągam ostrożnie Tadeusza spod stolika, podniesiona na duchu, że przynajmniej na jakiś czas uratowałam lampę i dziecko.

– W kuchni mamy mnóstwo chipsów. Czy uważacie, że warto się kłócić o kawałeczek chipsa?

– Psa – przyznaje mi Mariuszek.

Wracamy do stołu i do jedzenia. Atmosfera jest napięta, więc staram się ją jakoś rozładować.

Zastanawiam się, co by pozwoliło nam dotrwać bez szwanku choćby do 16.00, kiedy dają w telewizji filmy rysunkowe.

– Chcecie, żeby wam coś opowiedzieć? – proponuję z nadzieją w głosie.

– Tak, tak, jakąś ładną historię.

– Może tę, którą opowiadasz mi wieczorami – podpowiada Piotruś. – Historię Jezusa.

– To za długie – protestuję.

– Ale piękne – nalega pełen przekonania Piotruś. Przychodzi mi coś do głowy.

– Zrobimy tak: opowiem wam niektóre przypowieści, jakie Jezus opowiadał apostołom.

– Żeby dobrze się zachowywali? – dopytuje się ciekawie Tadzio.

– Nie, nie żeby się dobrze zachowywali, lecz aby stali się lepsi i by wytłumaczyć im coś, czego inaczej by nie zrozumieli.

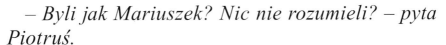

– Byli jak Mariuszek? Nic nie rozumieli? – pyta Piotruś.

Wszyscy spoglądają na Mariuszka, który jest dumny jak paw.

– Psa – obwieszcza nam z uroczym uśmiechem.

– Mariuszek nie rozumie, bo jest mały – wyjaśniam. – Apostołowie natomiast byli duzi, ale czasami roztargnieni lub niezbyt pojętni, więc Jezus, wyjaśniając im, co ma na myśli, opowiadał historie zwane przypowieściami.

– Opowiedz – zachęca Piotruś.

– Tak, opowiedz, opowiedz – powtarzają dwaj pozostali chłopcy.

– Owiec – wtóruje Mariuszek.

Starsza trójka spogląda na niego ze zdziwieniem i podziwem tak, że czuje się zmieszany.

– Psa – natychmiast się poprawia.

Starszaki wybuchają śmiechem, ja też się śmieję, zaczynając opowieść.

Przypowieści Jezusa

Powrót syna marnotrawnego

słyszycie najpierw o pewnym człowieku, który miał dwóch synów. Był on niezmiernie bogaty, lecz jego największym bogactwem byli dwaj chłopcy, z których był bardzo dumny.

Wiedli dostatnie, pracowite i spokojne życie, lecz najmłodszemu to nie wystarczało. Marzył o dalekich krajach, spotkaniach z fascynującymi kobietami, o nowych przygodach. Granice świata, w którym żył, wydawały mu się zbyt ciasne; chciał je poszerzyć.

Pewnego dnia zwierzył się ojcu, że chce odejść.

– Już tak dłużej nie mogę – wybuchnął. – Są dni, kiedy czuję, że się duszę.

Chciał zwiedzić świat, poznać nieznane kraje, pełne zagadek i obietnic.

Ojciec bardzo cierpiał. Dręczyła go myśl, że przez miesiące, a może lata nie będzie miał od niego żadnej wieści. Jakie będzie to jego życie bez syna?

W oczach chłopca błyszczał entuzjazm i ojciec zrozumiał, że nie tylko nie ma tyle sił, by go powstrzymać, ale nawet nie ma do tego prawa. Dzieci należą do świata, a nie do rodziców.

Dał mu zatem część swego majątku i pozwolił odejść. Starał się jednak ukryć przed nim żal, jaki odczuwał.

Nocą, gdy nikt nie widział, wylewał łzy.

Ciągle myślał o synu, zastanawiał się, co porabia.

Chłopiec zwiedził mnóstwo miast. Na początku wolność, jaką miał, wydawała mu się czymś wspaniałym. Miał sporo pieniędzy, więc łatwo znajdował przyjaciół.

Pieniądze się jednak skończyły, a w mieście, w którym mieszkał, panował niestety straszny głód. Chłopiec z dnia na dzień żył coraz biedniej, aż w końcu został bez grosza i musiał żebrać na kawałek chleba i dach nad głową.

Zmuszony był przyjąć nędzną pracę, jedyną, jaką udało się mu dostać. On, który zwykł rozkazywać sługom swego ojca, został pastuchem świń, zaś za pokarm służyły mu żołędzie, którymi je karmił.

Myślał o swym ojcu, bracie, ciepłym i szczęśliwym domu, który opuścił. Dlaczego odszedł? Dlaczego zostawił to bezpieczne i pełne miłości miejsce?

Pewnej nocy przyśniło mu się, że znów jest w domu. Obok był ojciec. Co za szczęście móc słyszeć jego głos, widzieć go, dotknąć. We śnie wyciągnął rękę, zbudził się i znów był w stajni, w której mieszkał. Poczuł rozpacz. Wszystko by dał, żeby znów znaleźć się we śnie, u boku ojca.

„Mogę przecież sprawić, że sen się spełni" – pomyślał sobie. – „Mogę wrócić do domu".

Gdy tak pomyślał, od razu poczuł się lepiej. Wróci do domu i będzie gorąco błagał ojca o przebaczenie. Prawda, postąpił źle i nie zasługuje na jego miłość, ale wystarczy, że zostanie choćby jego sługą. Wtedy poczuje znów to ciepło, jakie czuł we śnie.

Wyruszył w drogę. Ojciec ujrzał go już z daleka. Od kiedy syn opuścił dom rodzinny, starszy pan wpatrywał się dwa, trzy, dziesięć razy dziennie w horyzont z nadzieją, że ujrzy powracające dziecko.

Tego dnia, kiedy tylko ujrzał nadchodzącego człowieka, od razu serce ojca poznało go, choć był jeszcze daleko i wydawał się wychudzony i przegrany.

– Wrócił! – ucieszył się. – Mój syn wrócił!

Wybiegł mu na spotkanie: serce waliło ze szczęścia, ramiona unosiły się, pragnąc jak najszybciej objąć syna.

– Synu! Synu! – miał ściśnięte gardło, gdy w końcu stanął na wprost niego i mógł pogłaskać go po twarzy, po włosach, po rękach.

– Nie jestem godny, byś mnie nadal nazywał swoim synem – bronił się chłopak. – Byłem bardzo zły, cierpiałeś przeze mnie.

– Ale teraz wróciłeś, tylko to się liczy.

Weszli do domu i ojciec rozkazał sługom, by pomogli synowi umyć się i przebrać w lepsze ubranie.

Następnie uszczęśliwiony udał się do kuchni i zarządził przygotowanie wystawnego obiadu ze wszystkimi ulubionymi potrawami chłopca.

– Zabijcie najtłustsze cielę, jakie mamy – rozkazał. – Będziemy świętować powrót mojego syna!

Gdy nadszedł wieczór, starszy syn wrócił do domu po całodniowej pracy w polu.

Ujrzał dom cały oświetlony, posłyszał śmiech, głosy pełne szczęścia.

Poczuł zapach wykwintnych potraw.

Gdy się zastanawiał, co mogło się stać, ojciec wyszedł mu naprzeciw.

– Wrócił twój brat – oznajmił z radością. Na jego twarzy malowało się szczęście.

Starszy syn pomyślał, że od wieków nie widział swego ojca tak szczęśliwym i poczuł przypływ złości.

Teraz zrozumiał: uczta była na cześć brata, tego, który odszedł, nie troszcząc się o nikogo i o nic. On natomiast został w domu, cały czas był wierny i posłuszny i co mu z tego przyszło? Ojciec nawet mu nie podziękował!

– To niesprawiedliwe – nie wytrzymał. – Ja ci nigdy nie przysporzyłem trosk, poświęciłem wszystko, by być z tobą i nic nie otrzymałem. Zawsze byłeś smutny – wytknął mu – choć byłem przy tobie. On opuścił dom, nie myśląc o bólu, jaki ci sprawia, przepuścił wszystkie pieniądze, odrzucił twoje uczucia, a ty teraz świętujesz jego powrót.

Ojca bardzo zabolało, że jego syn cierpi i spróbował mu wytłumaczyć swoje postępowanie.

– Zawsze byłeś przy mnie i wszystko, co moje, należy do ciebie – rzekł mu łagodnie. – A twój brat odszedł i teraz właśnie powrócił. Straciłem go i odzyskałem, był umarły i znów jest ze mną.

Powrót syna wypełnił pustkę, która wytworzyła się w życiu ojca, gdy chłopiec go opuścił. Ojciec miał nadzieję, że starszy syn to zrozumie i będzie dzielić z nim radość.

Chwila ciszy. Moi mali słuchacze z pewnością zastanawiają się nad tym, co opowiedziałam.

– Według mnie starszy syn miał rację – mówi Tadeuszek zaczepnym głosem.

– Tak – potwierdzają Ferdynand i Piotruś. – Starszy syn miał rację.

– Nie – zaprzeczam stanowczo, choć gdzieś w kąciku mego serca zgadzam się z nimi. – Nie miał racji... Ojciec bardzo kochał obu synów i powiedział starszemu, że wszystko, co ma, należy też do niego.

Patrzą na mnie zmieszani. Mariuszek śmieje się, nie mówiąc nawet „psa".

    – *Całe szczęście, że nie mamy braci – pociesza się Ferdynand, oglądając się na swych kolegów.*

    – *A on ma brata! – wykrzykuje Piotr, wskazując na Mariuszka.*

    Wszyscy jednocześnie spoglądają na malucha ze współczuciem.

    – *Ma na imię Andrzej.*

    – *To młodszy brat! – mówi Ferdynand tak ciężkim od gróźb głosem, że Mariuszek zaczyna szlochać.*

    Zanim będę dalej opowiadać, muszę go uspokoić.

Owieczka zagubiona w ciemności

    Pewien pasterz miał duże stado, co najmniej sto owiec. Każdą dobrze znał. Wieczorem, gdy zbliżał się czas odpoczynku, miał zwyczaj przechadzać się pomiędzy nimi, a one beczały, życząc mu dobrej nocy.

Pasterz to głaskał pyszczek jakiejś starszej lub zmęczonej owieczki, to żartobliwie pociągał za ogon jakieś młodziutkie czy niespokojne jagniątko, któremu się śniło, że biega i wierzga po olbrzymiej łące.

Pewnego wieczoru spostrzegł, że jednej owieczki brakuje.

Przejrzał całe stado, policzył po kolei wszystkie zwierzęta. Nie pomylił się, jednej owieczki nie było w stadzie, widocznie zgubiła się po drodze. Wiedziało to jego serce, a serce nie myli się nigdy.

Zapadła noc, gęste cienie sprawiały, że znany krajobraz wydawał się w ciemności obcy i wrogi.

Owce usnęły, lecz pasterz nie spał. Nie mógł zasnąć, myślał wciąż o zaginionej owieczce.

Kto wie, co się teraz z nią działo. Może bała się ciemności, może jej było zimno, była głodna, może ranna.

W pewnej chwili wydało mu się, że słyszy jej rozpaczliwe beczenie.

Wstał. I tak nie usnąłby, dręczyła go myśl o zagubionej owcy. Nie zazna spokoju, dopóki jej nie odnajdzie.

Oddalił się od stada, idąc z powrotem drogą, którą przebyli tego dnia. Co pewien czas gwizdał przeciągle, oczekując niespokojnie jej beczenia w odpowiedzi.

Pasterz był bardzo zmęczony, lecz nie czuł tego, tak mocno pragnął odnaleźć swą owieczkę.

W końcu, gdy już prawie stracił wszelką nadzieję, posłyszał słaby, daleki odgłos beczenia. Pobiegł, mając nadzieję, że to nie wyobraźnia spłatała mu figla. Jeżyny kaleczyły mu nogi i ręce, lecz mimo to biegł dalej, a beczenie stawało się coraz bliższe, coraz wyraźniejsze.

I w końcu ją ujrzał: zaplątana w krzakach trzęsła się z zimna i strachu.

Nie czynił jej wymówek.

—Tu jesteś – szepnął do niej łagodnie, pełen szczęścia, że ją odnalazł.

Oczy zwierzęcia zdawały się błyszczeć z wdzięczności i radości.

Podniósł ją, pogłaskał i wziął na ramiona. Trzeba było pokonać całą powrotną drogę, a taki był zmęczony. Owieczka ciążyła mu na ramionach, ale on szedł szybkim krokiem. Nie czuł trudu, tak był szczęśliwy, że ją odnalazł.

– Nie zginiesz mi nigdy więcej – obiecywał jej cicho. – Będę cię zawsze miał przy sobie, moja miłość zatrzyma cię.

Wszyscy, którzy przysłuchiwali się tej opowieści, poczuli wzruszenie. Czuli przerażenie owieczki, samej w ciemności, i jej radość, gdy została odnaleziona.

– Większa jest radość w niebie z jednego grzesznika, który się nawraca, niż z dziewięćdziesięciu dziewięciu sprawiedliwych – zakończył Jezus, a ci, co Go słuchali, czuli się pocieszeni.

Dodawało otuchy poczucie przynależności do stada i fakt, że można liczyć na czułość i troskę Dobrego Pasterza!

Miłosierny Samarytanin

Pewnego razu uczony w Piśmie zadał Jezusowi takie oto pytanie:

– Nauczycielu, co mam robić, aby zasłużyć na życie wieczne?

Jezus odrzekł:

– Będziesz miłował Pana, Boga swego, całym swoim sercem, całą swoją duszą, całą swoją mocą i całym swoim umysłem; a bliźniego swego jak siebie samego.

– Bliźniego? A kto jest moim bliźnim? – zapytał uczony.

Wtedy Jezus opowiedział następującą przypowieść.

Pewien człowiek wyszedł wcześnie rano z Jerozolimy, idąc do Jerycha, małego miasteczka w Galilei.

Czekała go długa droga, ale on był bardzo wesoły, może szedł odwiedzić krewnych albo przyjaciół, i trud podróży nie przerażał go.

Szedł szybkim krokiem. Droga była rzadko uczęszczana, więc podśpiewywał sobie i dźwięk jego głosu dotrzymywał mu towarzystwa.

Śledziła go grupa zbójców. Było ich trzech, może czterech, ukrytych za skałami. Na znak przywódcy wyskoczyli na drogę i rzucili się na biedaka. Pobili go, zdarli ubranie, ukradli wszystko i uciekli, pozostawiając leżącego na ziemi w cierpieniu i gniewie.

Nie mógł się nawet ruszyć i był zrozpaczony.

Na szczęście wkrótce potem posłyszał odgłos zbliżających się kroków.

Przechodziło tędy niewiele osób, więc ten znak ludzkiej obecności zdawał się cudem.

– Ratunku! – jęknął i kroki ucichły.

Biedaczysko miał posiniaczone ręce i nogi, z ran sączyła się krew. Człowiek, który się zatrzymał, był kapłanem spieszącym do świątyni, gdzie miał wiele spraw do załatwienia. „Biedaczysko" – pomyślał i przyspieszył kroku, chcąc jak najszybciej oddalić się od tego miejsca, by jak największa odległość dzieliła go od umierającego nieszczęśnika.

Wyobraźcie sobie rozczarowanie biednego człowieka, który znowu został sam w bólu i strachu.

Naraz posłyszał znów odgłos szybkich kroków: zbliżał się inny wędrowiec.

Nie miał już nawet sił, by zawołać o pomoc. Wydał stłumiony jęk, który idący posłyszał i zatrzymał się. Spojrzał

z daleka z przestrachem. I on również odszedł, podobnie jak poprzedni, chcąc jak najszybciej pozbyć się wyrzutów sumienia, że nie pomógł cierpiącemu nieznajomemu.

Upłynął jakiś czas.

Człowiek czuł, że już umiera.

Co za tortura tak umrzeć: na pustej drodze, z daleka od swych bliskich, bez gestu czułości, modlitwy.

Wpadł w stan bolesnego odrętwienia, gdy usłyszał kroki zwierzęcia. Nie podniósł nawet wzroku, nie miał już sił ani nadziei, pogodzony z ludzką obojętnością i egoizmem.

Tymczasem koń zatrzymał się przed nim, na ziemię zeskoczył jakiś człowiek.

„Odejdzie tak jak inni" – pomyślał ranny, usiłując nie robić sobie nadziei.

– Co ci się stało? – zapytał człowiek. Po akcencie łatwo było poznać, że to Samarytanin. Ranny nie miał siły, by odpowiedzieć, z trudem uniósł głowę i spojrzał na niego.

– Niedobrze z tobą? – spytał ze współczuciem jeździec. Wyjął z torby bukłak, nachylił się nad rannym, obmył mu rany i obwiązał. Ból był nie do zniesienia, ranny jęczał, dobry Samarytanin zwilżał mu usta mokrą chusteczką.

– Odwagi! – szeptał mu. Jego czuły głos i delikatny dotyk przywracały nieszczęśnikowi nadzieję i wiarę w ludzi.

Ranny człowiek był dość ciężki. Samarytanin z trudem podniósł go z ziemi i usadowił na koniu. Ostrożnie ruszył, uważając, by nie powiększać cierpień rannego.

Cierpiał on strasznie, lecz cierpienia łatwiej było znieść, gdyż przepełniała go wdzięczność i pewność, że nie umrze na skraju drogi, opuszczony przez wszystkich, lecz że zostanie otoczony opieką, może nawet uratowany od śmierci.

Po długiej drodze koń zatrzymał się w końcu koło gospody. Z wielką ostrożnością zdjęto rannego z konia i ułożono na wygodnym łóżku. Dano mu jeść i pić.

Następnego dnia o świcie Samarytanin odjechał.

Przed odjazdem wręczył właścicielowi gospody pieniądze, prosząc, by nie zważał na koszty, czyniąc wszystko, by ranny wyzdrowiał. Gdyby okazało się, że pieniędzy jest za mało, doda mu jeszcze, gdy będzie wracał.

Napadnięty i pobity człowiek poczuł się pokrzepiony. Rany wciąż go bolały, lecz litość okazana przez Samarytanina bardziej pomagała mu wyzdrowieć niż wszelkie lekarstwa i zabiegi.

Dzieci słuchały mnie z uwagą.

– Według was, kto był bliźnim dla tego biedaka napadniętego przez zbójców? – zwracam się do nich z pytaniem, jakie zadał Jezus.

– Samarytanin – odpowiada bez zastanowienia Ferdynand. Pozostali są tego samego zdania.

– Tanin – potwierdza nawet Mariuszek.

– Brawo – gratuluję. – Doskonale zrozumieliście. Jedynie Samarytanin okazał współczucie, opatrzył mu rany i pomógł mu.

– Chcę być dobrym Samarytaninem – oznajmia nagle Tadeuszek.

Zapadła cisza.

Po chwili Piotruś przerwał milczenie:

– Nie możesz być Samarytaninem, bo nie umiesz!

– Ja będę Samarytaninem! – ogłasza na cały głos Ferdynand.

– Nie ty, ja chcę być Samarytaninem! – krzyczy Piotruś.

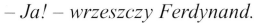

– Ja! – wrzeszczy Ferdynand.

– Ja! – mówi Mariuszek.

– Ja byłem pierwszy! – broni się Tadzio.

– Co wam przyszło do głowy? – próbuję ich uspokoić. – A więc wcale nie zrozumieliście. Każdy może być dobrym Samarytaninem, a nawet musi nim być. Za każdym razem, gdy widzimy cierpiącego i pomagamy mu, jesteśmy jak ten Samarytanin.

Wydaje się, że ich przekonałam. Naraz Piotruś wstaje, podchodzi z groźną miną do kuzyna, oczy mu niebezpiecznie błyszczą.

– Jeśli zbiję Mariuszka, a potem przyjdę mu z pomocą, będę dobrym Samarytaninem, prawda?

W ostatniej chwili powstrzymuję go, zanim jego pięść spadnie na małego.

– Jeśli uderzysz Mariuszka i zrobisz mu krzywdę, zobaczysz, co ja ci zrobię! – grożę.

Piotruś posępnieje. Patrzy z żalem na małego.

– Babciu, to twoja wina, że nie mogę być dobrym Samarytaninem – oznajmia mi.

Żebrak i bogacz

Jaki smakowity zapach wydobywał się z tego domu! Mieszkał tam wielki bogacz, który nazywał się Epulon.

Łazarz, żebrak, widział codziennie, jak bogacz wchodził i wychodził z domu, zajęty tysiącami spraw. Podziwiał jego eleganckie stroje, pierścienie na jego palcach, zapach cennych pachnideł, który rozsiewał wokół siebie.

Epulon codziennie urządzał wystawne uczty. Miał wszystko, czego dusza zapragnie, najwykwintniejsze dania, najkosztowniejsze wina.

Łazarz pozostawał za drzwiami, dręczony głodem i pragnieniem, pokryty muchami, które siadały na jego wrzodach.

Musiał zadowolić się zapachem potraw, gdyż nie dostawał nawet okruszka ze stołu.

Aż pewnego dnia Łazarz zmarł. Biedaczysko! Jego życie było nieprzerwanym pasmem cierpień, bólu i wyrzeczeń.

Po śmierci znalazł się w królestwie niebieskim i tu nareszcie był szczęśliwy. Bliskość Boga wynagradzała Łazarzowi to wszystko, co wycierpiał na ziemi.

Wkrótce potem zmarł także Epulon, wielki bogacz. Ten nie zasłużył na królestwo niebieskie. Całe życie myślał jedynie o dobrach materialnych, nie znał miłości bliźniego, z niczego nigdy nie rezygnował dla innych i po śmierci został posłany do Piekła.

Jakie Piekło jest straszne! Płomienie paliły mu ciało, które zaznało dotąd jedynie rozkoszy, ale nigdy do reszty go nie spalały, tak że jego cierpieniu nie było końca. Było jeszcze inne, mniej widoczne, choć bardziej dotkliwe cierpienie: był daleko od Boga.

Z otchłani, Epulon wzniósł oczy ku niebu i ujrzał Łazarza, tego żebraka, na którego patrzył z obrzydzeniem, którego tyle razy brutalnie odpędzał od swych drzwi.

– Wody – błagał Epulon. – Błagam cię, Łazarzu, daj mi choć kroplę wody, choć jedną kroplę... – oddałby całe swe dostatnie życie w zamian za kroplę wody.

Słysząc to, ojciec Abraham, zamiast Łazarza, odpowiedział Epulonowi.

– Za życia na ziemi otrzymałeś swoje dobra – przypomniał mu. – Łazarz natomiast nic nigdy nie posiadał, cierpiał jedynie głód, zimno i pragnienie. Teraz on doznaje pociechy, a ty cierpisz męki.

Być może Łazarz pomógłby teraz Epulonowi, który nie był już bogaty, ale bardzo biedny, dużo biedniejszy, niż kiedykolwiek był sam Łazarz, gdyż na zawsze pozbawiony miłości Ojca. Lecz Abraham mówił dalej:

– Między światem twoim a naszym jest otchłań, której niczym nie da się zapełnić. Gdyby nawet Łazarz chciał ci pomóc, nie mógłby tego uczynić, gdyż nie ma łączności między naszymi światami.

Bogacz Epulon zrozumiał, że nie ma dla niego nadziei.

Pomyślał więc o swych braciach, którzy wiedli takie samo życie jak on, zastanawiając się, czy przynajmniej ich zdołałby uratować.

– Ojcze Abrahamie, błagam cię, poślij Łazarza do domu mych braci. Jest ich pięciu i są tacy sami jak ja. Gdy Łazarz opowie im o moim cierpieniu, zmienią życie i choć oni będą uratowani.

Ojciec Abraham potrząsnął głową:

– Mają Pisma Mojżesza i proroków, mogą ich słuchać.

Epulon nalegał jednak:

– Jeśli ktoś wróciłby z królestwa umarłych i porozmawiał z nimi, nawróciliby się.

Kolejny raz Abraham potrząsnął głową.

– Jeśli nie słuchają Mojżesza i proroków, nie uwierzą, choćby kto z umarłych powstał – rzekł ze smutkiem.

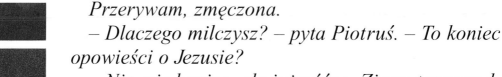

Przerywam, zmęczona.

– Dlaczego milczysz? – pyta Piotruś. – To koniec opowieści o Jezusie?

– Nie, nie koniec, ale już późno. Zjemy teraz podwieczorek, a potem włączymy telewizor.

– Co jest w telewizji? – pyta się Tadeuszek.

– Nie wiem. Na pewno znajdzie się coś zabawnego dla was.

– A ja bym bardzo chciał, żebyś opowiedziała nam jeszcze jedną opowieść o Jezusie – wtrąca się Ferdynand.

– Telewizję możemy oglądać u siebie w domu – stwierdza rozsądnie Tadzio.

Podnoszę się z krzesła.

– Musimy przygotować podwieczorek – usiłuję ich zagadać, mając nadzieję, że przy lodach zapomną o tym pomyśle. – No, dalej, chodźmy do kuchni. W lodówce są doskonałe lody.

– Ja chcę loda – krzyczy Piotruś.

– Ja też, ja też – wtórują Tadzio i Ferdynand.

– Psa-da – przyklaskuje Mariuszek, tworząc nowy wyraz, będący śmiałym połączeniem pojęcia chipsa i loda.

Rozdzielam lody, a następnie włączam telewizor.

Piotruś biegnie za mną.

– Ale wieczorem opowiesz o Jezusie jak zawsze, prawda? – pyta przejęty.

– Oczywiście, ma się rozumieć.

– To dobrze – uśmiecha się. – Czy jest jeszcze dużo odcinków? – pyta z nadzieją.

– Wystarczy do powrotu taty i mamy.

– Całe szczęście.

„Dzięki Ci, Boże" – przychodzi mi wielka ocho-

ta, aby się pomodlić. – „Jesteś też wspaniałym Narratorem. Twoje przypowieści pozwoliły mi dotrwać bez strat do czasu filmów rysunkowych".

Mrok w sercu Judasza

Kto wie, jak bardzo cierpiała w tych dniach Maria, matka Jezusa!

Kto wie, jak często powtarzała w duszy teksty ze Świętych Ksiąg, drżąc z trwogi i usiłując rozpaczliwie znaleźć jakieś inne wyjaśnienie.

Może powracała myślą do tego odległego dnia, kiedy ukazał się jej anioł Pański i sprawił, że jej życie zmieniło się.

Od tamtej chwili minęło wiele lat, jej Dziecko stało się dorosłe, było teraz pełnym uroku Mężczyzną, a Jego przeznaczenie właśnie się wypełniało.

Maria nie myliła się, śmierć Jezusa była już tylko kwestią dni. Najwyżsi kapłani, uczeni, faryzeusze zadecydowali o tym już wtedy, kiedy wieść o wskrzeszeniu Łazarza poruszyła całą Galileę.

Arcykapłan Kajfasz przekonał wszystkich, że Jezus stanowi zagrożenie dla narodu. Zauroczenie Nim ludu mogłoby, prędzej czy później, nie spodobać się Rzymianom. Kto wie, jak by się za to mścili na narodzie! Nim dojdzie do tego, trzeba zabić Jezusa; lepiej unicestwić jednego człowieka, niż dopuścić, by zapłacił za Niego cały naród!

Sam Jezus wiedział, że Jego koniec jest już blisko. Parokrotnie zapowiadał to już swym przyjaciołom.

Teraz mówił otwarcie.

– Syn Człowieczy będzie uwięziony, znieważany, biczowany – przepowiadał. – Zostanie zabity.

Jaki smutny głos miał Jezus, gdy wypowiadał te słowa. Był tak jak i my człowiekiem i myśl o cierpieniu i śmierci napawała Go strachem.

Być może mówił o tym swym uczniom, bo potrzebował od nich pocieszenia.

Lecz apostołowie nie przynieśli Mu pociechy. Kochali Jezusa, ale starali się oddalić niebezpieczeństwo zaprzeczeniami, nie próbowali zrozumieć Jego słów, nie pamiętali o przepowiedniach, marzyli, że Nauczyciel osiągnie chwałę ziemską, której blask również ich opromieni.

Tymczasem Jezus, zanim wszedł do Jerozolimy, zatrzymał się u Łazarza, przyjaciela, którego wskrzesił.

Zanim nadejdą te straszne chwile, chciał trochę odpocząć w serdecznej i ciepłej atmosferze rodziny, która bardzo Go kochała.

Przyjęty został z wielką radością.

Podczas gdy siostra Łazarza, Marta, podawała wszystkim kolację, druga siostra Maria wzięła naczynko z cudownie pachnącym balsamem i wymasowała stopy, dłonie oraz głowę Jezusa.

124

W ostatnich dniach Jezus był bardzo zmęczony i przestraszony. Delikatny masaż Marii podziałał na Niego kojąco. Przymknął oczy, rozkoszując się chwilą spokoju.

Ulga, jaką odczuł, była tak wyraźna, że Judasz poczuł się dotknięty. Miał mętlik w głowie. Nauczyciel wciąż powtarzał, że umrze, Judasz czuł się zawiedziony i oszukany.

Przyłączył się do Jezusa, myśląc, że Ten jest Człowiekiem silnym, urodzonym Zwycięzcą. Pociągała go Jego siła, którą natychmiast wyczuł. Był pewny, że Jezus poprowadzi lud przeciwko Rzymianom i wyzwoli Izrael.

Tymczasem Jezus nie mówił wcale o zbrojnym powstaniu. Zapowiadał swoją klęskę i nie chciał niczego uczynić, by jej zapobiec, a nawet pogodził się z tym. Co to za Człowiek, który tak rozumuje?

Czułość, jaką tego dnia Maria okazała Jezusowi, oraz wdzięczność, z jaką On ją przyjmował, zwiększyły jeszcze złość Judasza. A może też był zazdrosny; jemu nigdy nie udało się sprawić radości Nauczycielowi!

– Co za marnotrawstwo! – wybuchnął nagle. – Ten balsam kosztuje krocie. To grzech wyrzucać go w ten sposób.

Wszyscy spojrzeli na Judasza. Także Jezus spojrzał na niego. W oczach miał wielki smutek i Judasz poczuł jeszcze większą wściekłość.

– Można było go sprzedać – tłumaczył. – Zarobilibyśmy niezłą sumkę i kto wie, ilu biedakom moglibyśmy pomóc.

Tak naprawdę biedacy wcale go nie obchodzili. Pieniądze te powiększyłyby kasę, którą zarządzał, a Judasz był bardzo chciwy. Ale przede wszystkim jednak złościło go to, że Maria ofiarowała balsam Jezusowi i że On przyjął ten dar z wielką radością.

– Daj jej spokój – rzekł Jezus. – Ubodzy pozostaną z wami, będziecie mieli czas, by im pomóc. Ja natomiast będę z wami jeszcze tylko przez parę dni.

Wszyscy poczuli dreszcz trwogi i spojrzeli na Judasza z naganą. Jak mogły mu przyjść do głowy takie rzeczy?

Może właśnie wtedy w sercu Judasza miłość do Nauczyciela zaczęła przemieniać się w nienawiść.

Jezu, jesteś wielki! Niech żyje Jezus!

Następnego dnia Jezus pożegnał się z tłumem ludzi, którzy przyszli pozdrowić Go i udał się do Jerozolimy.

Stawiał ciężkie kroki; wiedział, że każdy z nich przybliża Go do końca.

Zatrzymał się koło Góry Oliwnej, u bram miasta.

Poprosił jednego z uczniów, by udał się do leżącego przed nimi miasteczka i wziął pierwszego osiołka, jakiego napotka.

Kiedy Jezus miał już zwierzę, wsiadł na jego grzbiet i tak wkroczył do Jerozolimy. Od niepamiętnych czasów królowie Judei dosiadali osłów zamiast szlachetnych koni, podkreślając tym, że ich lud składał się z pasterzy i rolników.

Jezus zatem wjechał do miasta jak król i jak króla Go powitano.

Nadjeżdża Jezus z Nazaretu! Ta wiadomość rozniosła się dokoła i wszyscy przybiegli, by oddać Mu hołd.

Niektórzy pamiętali Go, wielu w ogóle Go nie widziało, wszyscy natomiast słyszeli o Nim i o Jego cudach.

Teraz mieli okazję, aby Go zobaczyć. Był piękniejszy i młodszy, niż to sobie wyobrażali. Rozradowany tłum klaskał i krzyczał: „Niech żyje Jezus! Niech żyje Jezus!"

Gdy przejeżdżał, świętujący tłum rozstępował się, ludzie rozpościerali na ziemi płaszcze i szaty, obrzucali Jezusa kwiatami i pocałunkami. Dookoła rozlegał się okrzyk: „Niech żyje Jezus!" i Jezus był bardzo wzruszony.

„Kochają Mnie"– myślał i ta myśl stanowiła pocieszenie w Jego smutku.

Apostołowie wprost pękali z dumy. Zewsząd przybywał tłum, aby powitać ich Nauczyciela. Jezus był prawdziwym królem, oni zaś byli Jego najserdeczniejszymi przyjaciółmi, Jego dworzanami!

Straszna myśl o klęsce, męce i śmierci Jezusa była bardzo odległa.

Nienawiść Kajfasza

Jezus, witany i zatrzymywany przez tłumy, dojechał w końcu do świątyni.

Ile tu miał wspomnień!

Może przypomniał sobie ten dzień, gdy miał dwanaście lat i tak strasznie przestraszył swego ojca i swą matkę.

Jego ojciec nie żył już od wielu lat, ale matka była ciągle obok Niego. Pewnie stała w tłumie; wiedział, że zawsze jest przy Nim. Nawet jeśli jej nie widział, czuł jej miłość i niepokój o Niego.

„Ukochana moja mateczko" – może tak pomyślał – „tak bardzo cię kocham, a mimo to taki sprawię ci ból".

Wspominał, jak przepędził kupców ze świątyni, oburzony ich brakiem szacunku dla ukochanego Ojca.

Zaczął mówić i nikt już nie słuchał innych kaznodziei, jako że Jezus miał urok, jakiego nie posiadał nikt inny, a to, co mówił, było nowe i ciekawe. Otoczył Go tłum i było tak jakby to miejsce właśnie Jemu prawnie się należało.

Jego wrogowie złościli się, że wcale się nie zmienił. Był ciągle tym samym Jezusem, prowokującym i pociągającym.

Tłum Jego wielbicieli rósł z każdym dniem i przed świątynią oczekiwało Go wciąż więcej ludzi chętnych, by Go posłuchać i zapamiętać Jego słowa.

Arcykapłan Kajfasz kipiał ze złości.

Należało pozbyć się tego Człowieka, który bez żadnego pozwolenia nauczał w świątyni.

Należało Go zabić.

Z każdym dniem wpływ Jezusa rósł niebezpiecznie, coraz więcej osób wierzyło, że to On jest właśnie tym oczekiwanym od tysiącleci Mesjaszem.

– Jeśli my nic nie zrobimy – mówił w gniewie Kajfasz – to On się nas pozbędzie. Trzeba jednak działać bardzo ostrożnie, nie budząc gniewu tej masy obdartusów, którzy są Jemu wierni.

To jasne, że im bardziej ktoś był biedny i nieszczęśliwy, tym bardziej Jezus go bronił.

Pewnego dnia, na przykład, kiedy był w świątyni, widział wielu bogaczy składających ofiary. Nie pochwalił ich ani słowem. Następnie podeszła uboga wdowa i ofiarowała dwie małe monety.

Jezus zbliżył się do niej bardzo wzruszony, wskazują na nią tak, aby wszyscy obecni to widzieli.

– Ta biedaczka dała więcej niż wszyscy inni razem wzięci! – rzekł głośno. – Dla innych nie było to żadne poświęcenie, dali to, czego mają w nadmiarze. Ona natomiast oddała wszystko, co posiadała.

Należało szybko działać i pozbyć się tego nowego Proroka. Idealnie byłoby uwięzić Go nocą, pod osłoną ciemności, gdy będzie spał. Lecz Nazarejczyk nocą opuszczał Jerozolimę, chronił się na Górze Oliwnej wraz ze swym orszakiem.

Trudno było Go aresztować, nie wywołując rozruchów.

Godzina zdrady

Pośród przyjaciół Jezusa był jeden, który zaczął się oddalać: Judasz Iskariota.

Judasz wciąż jeszcze był z Nauczycielem i z apostołami, lecz z każdym dniem czuł się coraz bardziej osamotniony.

Czuł się dziwnie; wydawało mu się, że Jezus stał się dla niego nieprzystępny, czuł się zawiedziony. Starał się nie spoglądać na Nauczyciela i nie rozmawiać z Nim, a stan przygnębienia coraz bardziej się pogłębiał.

Wydawało mu się, że serce ma zamrożone jak lodowa bryła i tylko odruch złości, buntu przeciwko Jezusowi, zdołałby skruszyć tę lodową powłokę, a wtedy jego serce z powrotem by zabiło.

A więc zdecydował się. Wiedział, że kapłani chcieli aresztować Jezusa; mógłby usunąć przeszkody. Był jednym z dwunastu, znał plany Nauczyciela. Wskaże miejsce i godzinę, o której będą mogli Go pojmać, nie czyniąc zamieszania. Zdradzi Go.

Podjąwszy taką decyzję, Judaszowi zrobiło się lżej.

„Trzymam Cię w garści" – myślał, spoglądając na Jezusa, swego Nauczyciela.

– Ile mi dacie, jeśli wam wydam Jezusa z Nazaretu? – spytał kapłanów.

Cena zdrady została ustalona na trzydzieści srebrników, sumę niezbyt wysoką jak na tamte czasy.

„Wart jesteś zaledwie trzydzieści srebrników" – zwracał się w myślach do swego Nauczyciela, rozmawiającego z tym samym co zawsze tłumem. – „Taki Jesteś niby ważny, a wart Jesteś tylko tyle".

Szybko, bardzo szybko nadarzyła się okazja, by wydać Go strażom Kajfasza.

Pokora Króla królów

Żydowska Pascha to uroczyste święto, upamiętniające wyzwolenie ludu Izraela z niewoli egipskiej.

Święto trwa parę dni, podczas których – oprócz innych, tradycyjnych potraw – spożywa się także przaśny chleb, to znaczy chleb bez drożdży.

W Dniu Przaśników uczniowie spytali Jezusa, gdzie będą spożywać Paschę. Byli weseli, świąteczna atmosfera sprawiła, że oddaliły się z ich serc smutne myśli o śmierci Nauczyciela. Ich głównym zmartwieniem była wieczerza.

Jezus skierował ich do pewnego człowieka, który będzie do ich całkowitej dyspozycji.

Rzeczywiście, człowiek ten z radością przyjął posłańców od Jezusa. Pokazał im przepiękną salę usłaną dywanami i poduszkami. Pośrodku stał stół na tyle duży, by pomieścić Jezusa i Jego dwunastu apostołów. Człowiek czuł się zaszczycony, że Jezus wybrał jego dom, aby spożyć wieczerzę.

I tak tego wieczoru Jezus zasiadł wraz z apostołami przy stole do wieczerzy. Nikt, nawet Jan, ukochany uczeń, nie spostrzegł, że Nauczyciel jest bardzo smutny. Myśleli o jedzeniu, żartach, oszołomieni trochę winem i sukcesem, jaki Jezus odniósł w ostatnich dniach. Nawet nie wyobrażali sobie, że są świadkami ostatnich godzin życia Jezusa na ziemi.

W połowie wieczerzy Nauczyciel wstał od stołu. Nalał wody do miski i zaczął obmywać stopy apostołom.

Był to zwyczaj panujący w Judei, gdzie jednak powinność tę spełniali niewolnicy.

Uczniowie, zmieszani i zdezorientowani, pozwolili Mu na to, gdy jednak przyszła kolej na Piotra, ten się zbuntował.

– Panie, nie czyń tego! – krzyknął. – To niedorzeczne, abyś Ty, który jesteś najpotężniejszy z nas, mył nam stopy!

– Jeżeli nie dasz umyć sobie nóg, nie będziesz mógł zostać ze mną – rzekł Jezus łagodnie.

Piotr spontanicznie ofiarował nie tylko nogi, ale także ręce i powiedział:

– A zatem umyj mi nie tylko nogi, ale też ręce i głowę, i wszystko.

Chciał być zawsze z Jezusem. Ten potrząsnął głową.

– Kto już się umył, by stać się czystym, potrzebuje tylko nogi sobie obmyć.

Patrzył na każdego z uczniów po kolei, a oni odwzajemniali Jego spojrzenie.

– Wy jesteście czyści.

Jeden spośród dwunastu nie patrzył na Niego. Judasz pił, udając roztargnionego.

– Nie, nie wszyscy jesteście czyści – poprawił się Jezus.

Następnie usiadł na swoim miejscu przy stole i zaczął tłumaczyć znaczenie swego gestu.

– Chciałem dać wam przykład – wyjaśnił. – Jestem waszym Nauczycielem, waszym Panem, a nie wahałem się, by umyć wam nogi. Chciałbym, żebyście czynili jak Ja. Powinniście służyć jeden drugiemu, pomagać sobie, kochać się.

Spoglądał na nich, pragnąc, by nie zapomnieli tego przykazania miłości, które było podstawą Jego nauczania. Jezus miał nadzieję, że Jego przyjaciele zrozumieli, że miłosierdzie musi być znakiem rozpoznawczym chrześcijanina. Jego miłość do ludzi była tak ogromna, że chciał zostawić Dar, który będzie wieczny. Chciał siebie złożyć w ofierze.

Dar miłości, który zwycięża czas

Jezus przekazał pełen miłości sposób ofiarowania się ludziom, za każdym razem, gdy będą Go pragnęli, w każdym miejscu na świecie, o każdej godzinie.

Gdy wieczerza dobiegła końca, wziął kawałek chleba, pobłogosławił go, połamał na kawałki i rozdał apostołom.

– Weźcie i jedzcie wszyscy – rzekł – to jest Ciało moje.

Następnie wziął kielich pełen wina i pobłogosławił je.

– Napijcie się z niego wszyscy. W tym kielichu jest Krew moja, tajemnica wiary, która zostanie rozlana, by zmyć grzechy wszystkich ludzi.

Ludzkość tego dnia otrzymała dar Eucharystii. Apostołowie, którzy byli pierwszymi adresatami, poczuli się wzruszeni. Kto wie, czy zrozumieli wielkość tego Daru. Odczuwali ogromną wdzięczność i spokój ducha.

Dając im taki Dar, Nauczyciel obiecał, że za każdym razem, gdy tego zapragną, będzie przy nich obecny.

Na potwierdzenie ich myśli Jezus rzekł z miłością:

– Za każdym razem, gdy będziecie to czynić, zrobicie to na moją pamiątkę.

Musiały to być z całą pewnością wzruszające chwile.

Teraz jednak apostołowie dostrzegli, że Jezus posmutniał. Patrzył na każdego z nich po kolei, jakby chciał się ich nauczyć na pamięć i zachować w sercu ich postacie.

Być może wspominał, jak ich poznał, jak chciał ich mieć obok siebie. Byli Jego umiłowanymi przyjaciółmi, którym zostawi swe nauki.

„Jest ich niewielu" – myślał z żalem Jezus – „tylko dwunastu, a jednak jest wśród nich zdrajca". Powiedział to głośno.

– Jeden spośród was Mnie zdradzi!

Uczniowie spojrzeli po sobie, pełni podejrzeń i oburzenia.

Może nie zrozumieli słów Jezusa! Jak to możliwe, aby jeden spośród nich Go zdradził? Byli przecież Jego uczniami!

– Może to ja, Panie? – zaczęli pytać Go po kolei, przejęci bólem z powodu siebie samych i tego nieznanego zdrajcy, który nie zasługiwał na przyjaźń Nauczyciela.

– Ty to powiedziałeś – rzekł w pewnym momencie Jezus i tylko Judasz zrozumiał, że są to słowa skierowane do niego.

Wstał i w pośpiechu wyszedł, być może obawiając się, że jeśli zostanie, zabraknie mu odwagi, by zdradzić Jezusa.

Dziedzictwo miłości

Zniknięcie Judasza nie zaniepokoiło pozostałych apostołów. Judasz był ich zarządcą, więc pomyśleli, że poszedł załatwić sprawunki lub wypełnić jakieś powierzone mu przez Jezusa zadanie, by pomóc biedakom.

Wraz z Judaszem zniknął cień, wokół stołu zapanował cudowny nastrój intymności, który napełniał ich serca niezwykłym spokojem.

Jezus mówił o swej tak bliskiej śmierci, lecz zdawał sobie sprawę, że apostołowie nie chcieli zrozumieć; poczuł litość dla ich ciasnego umysłu.

– Bardzo was kocham – zwierzył się w pewnej chwili głosem tak pełnym czułości, że jedenastu apostołów odczuło ogromne szczęście. – Musicie się tak samo miłować, jak Ja was umiłowałem – nalegał Jezus. – Kiedy Mnie już nie będzie, muszą was rozpoznawać po miłości, jaką będziecie okazywać sobie wzajemnie.

– Dokąd idziesz, Panie? – zaniepokoił się Piotr.

– Ja idę tam, gdzie, przynajmniej na razie, ty za Mną pójść nie możesz.

– Nie może istnieć takie miejsce – zaprotestował Piotr. – Wszędzie pójdę za Tobą.

Mówił szczerze. Tak mocno kochał swojego Nauczyciela, że był gotów nawet umrzeć za Niego...

– Oddałbym życie za Ciebie – wyznał.

– Ty oddałbyś życie za Mnie? – uśmiechnął się smętnie Jezus, patrząc mu w oczy. – Powiem ci, Piotrze, coś bardzo smutnego: tej nocy, zanim zapieje kogut, wyprzesz się Mnie trzy razy.

Przypuszczenie to wydało się Piotrowi tak niemożliwe, że nie poczuł nawet zmieszania.

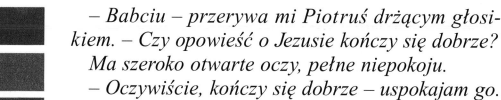

– Babciu – przerywa mi Piotruś drżącym głosi-
kiem. – Czy opowieść o Jezusie kończy się dobrze?

Ma szeroko otwarte oczy, pełne niepokoju.

– Oczywiście, kończy się dobrze – uspokajam go.

– Nie lubię opowiadań, które kończą się źle –
oznajmia mi.

– Tak, wiem.

Parę miesięcy temu oglądaliśmy razem stary film
zatytułowany „Nie zrozumiany". W filmie tym bo-
hater umiera, po tym jak wpadł do stawu.

Chyba nawet ojciec tego chłopca nie rozpaczał
tak, jak tamtego wieczoru rozpaczał mój wnuczek!

– Na pewno kończy się dobrze? – dopytuje się. –
Przecież Jezus umiera.

– Tak, ale zmartwychwstaje po trzech dniach.

– Lepiej by było, żeby nie umierał.
Wzdycha.

– Umarł, by nas zbawić – tłumaczę mu. – Ukrzy-
żowany Jezus dźwiga grzechy popełnione przez
ludzi na świecie od najdawniejszych czasów.

– Biedny Jezus! – wzrusza się Piotruś. – Jak będę
grzeczniejszy, to krzyż Jezusa będzie mniej ważył?

Patrzę na niego ze zdziwieniem, więc tłumaczy mi:

– Jeśli nie będzie moich grzechów, krzyż Jezusa
będzie lżejszy.

– Tak, masz rację.
Przygląda mi się przez chwilę.

– Zrobiłabyś coś wielkiego dla mnie, babciu?

– Wszystko, co zechcesz, skarbie.

– Czy możesz obiecać, że i ty nie będziesz już tak
bardzo grzeszyć?

Staram się ukryć uśmiech i poważnie mówię:

– Obiecuję, że zrobię wszystko, żeby nie grzeszyć.

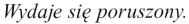

Wydaje się poruszony.

– Całe szczęście – cieszy się. – Jeśli odejmiemy wszystkie moje i twoje grzechy, krzyż Jezusa stanie się dużo lżejszy.

Męka i śmierć Jezusa

Ogród Getsemani: ogrom cierpienia

uż po zakończeniu wieczerzy Jezus z jedenastoma apostołami ruszył w kierunku Góry Oliwnej i zatrzymał się w ogrodzie zwanym Getsemani. Jezus zachęcił wszystkich z wyjątkiem Piotra, Jakuba i Jana, by odpoczęli; z tą samą trójką Jezus udał się kiedyś na górę Tabor na ten niezapomniany, przepełniony światłością spacer.

Teraz światła nie było. Noc była ciemna, mgła zasłaniała księżyc. Drzewa oliwkowe wokół nich wyglądały jak szkielety unoszące w górę ręce. Dreszcz przeszył Jezusa, poczuł bezgraniczny smutek...

– Smutna jest moja dusza aż do śmierci – wymknęło Mu się, a przyjaciele spojrzeli na Niego z niepokojem.

Jezus poprosił ich, by zostali i modlili się, On zaś odszedł parę kroków dalej. Sam w ciemności nocy, ukląkł, złożył ręce i zwrócił się do Ojca:

– Ojcze – rzekł – umiłowany mój Ojcze.

Co się dzieje?

Zdawało Mu się, że zwraca się w próżnię, nigdy dotąd nie czuł się tak samotny. Teraz doświadczał ciszy Boga, największej pustki, jaką sobie można wyobrazić.

138

– Ojcze – nalegał Jezus, starając się przerwać tę mrożącą Go ciszę. – Jeśli to możliwe, oddal ode Mnie ten kielich. Lecz nie to, co Ja chcę, ale to, co Ty chcesz, niech się stanie!

Cały czas się modlił, lecz nic nie wypełniło Jego samotnego serca.

Udał się do przyjaciół, aby znaleźć pocieszenie.

Ale pocieszenie! Jego przyjaciele, syci i spokojni, spali, jakby ich umysłów nie zaprzątała żadna myśl.

– Nie mogliście czuwać ze Mną nawet jednej godziny? – zganił ich Jezus, a oni poderwali się zawstydzeni. – Czuwajcie i módlcie się, byście nie ulegli pokusie – napominał ich Jezus – gdyż duch jest silny, ale ciało słabe.

Ukląkł z dala od nich.

Zwrócił się ponownie do Ojca.

Drżał z niepokoju, przerażenia, z sercem pełnym wątpliwości. Bóg ciągle milczał; Jezus wciąż miał dziwne wrażenie, że zwraca się w próżnię.

Wrócił do przyjaciół i ujrzał, że znów śpią.

Zbudził ich, rozgoryczony i rozczarowany, potem wrócił do modlitwy.

– Ojcze – wzywał. Ale umiłowany Ojciec nagle stał się nieprzystępny i zagubiony w bezkresnym wszechświecie.

Tak wielka była męka Jezusa w tym ogrodzie Getsemani, że poczuł, jak Jego czoło pokrywa się kroplami potu. Nie były to jednak krople potu, ale krople krwi.

Gdy po raz kolejny wrócił do trzech apostołów i znów ujrzał, że śpią, nawet ich nie skrzyczał.

– Chodźmy – rzekł – godzina nadeszła.

Wstrząsnął Nim dreszcz.

– Oto zbliża się mój zdrajca – oznajmił słabym głosem.

Pojmanie Jezusa

Rzeczywiście, u wejścia do ogrodu stał wielki tłum, przyprowadzony przez najwyższych kapłanów, uczonych w Piśmie i faryzeuszy.

Ludzie byli uzbrojeni w miecze i kije, napierali do przodu, jakby szli za nagonką na polowanie.

Gdy Jezus ujrzał w tłumie Judasza, zatrzymał się.

Judasz postąpił w Jego kierunku, patrząc cały czas na Niego. Przez chwilę poczuł się bardzo mocny, niezwyciężony, większy i silniejszy od Nauczyciela.

Jezus odwzajemnił to spojrzenie. Chciał, aby Judasz był Jego przyjacielem, kochał go i przez niego był kochany. Ta zdrada sprawiała Mu większy ból niż jakakolwiek rana.

„W czym się pomyliłem?" – być może to pytanie Jezus zadawał sobie w tej strasznej chwili, w której znikała wszelka pewność. – „Może czułeś się nie dość kochany? Biedny Judaszu!"

Judasz powiedział Kajfaszowi, że wskaże mu Jezusa, całując Go.

– Witaj, Nauczycielu – pozdrowił Go.

– Witaj, przyjacielu. Czemuś tu przyszedł?

Po tych słowach Judasz przyłożył wargi do twarzy Jezusa i pocałował Go.

Długo nie odrywał ust od twarzy Nauczyciela i może by nigdy ich nie oderwał, gdyby zgraja nie rzuciła się na Jezusa, by Go pojmać.

– Kogo szukacie? – zapytał Jezus.

– Szukamy Jezusa z Nazaretu.

– To Ja nim jestem – rzekł. – Pozwólcie przyjaciołom mym odejść. Oni nie mają ze Mną nic wspólnego.

Jeden z przyjaciół Jezusa nie mógł wytrzymać z oburzenia. Wydobył miecz, który nosił u boku, rzucił się na jednego z żołnierzy i odciął mu ucho. Krzyk bólu rozniósł się echem wśród nocy, a głos Nauczyciela, tworząc kontrast, zabrzmiał cicho i surowo.

– Schowaj miecz do pochwy – rozkazał Jezus. – Uczyłem was wzajemnej miłości i przychodzenia sobie z pomocą. Nigdy nie nakłaniałem was do przemocy.

Czułym i szybkim gestem położył dłoń na uchu mężczyzny i ten natychmiast wyzdrowiał.

W zgiełku, jaki powstał, prawie nikt tego nie spostrzegł. Straże związały Jezusa i poprowadziły Go.

Jezus opuszczony

Poprowadzono Jezusa, związanego niczym jakiegoś rzezimieszka, do domu arcykapłana.

Uczniowie opuścili Go, ukryli się ze strachu w pieczarach przerażeni tym, że przyjaźń z Jezusem mogłaby im zaszkodzić i mogliby przypłacić ją życiem.

Maria, matka, chciała pójść za Nim. Oddałaby swe serce, by dzielić los Syna. Ale nic nie mogła zrobić. Mogła jedynie modlić się i płakać w otoczeniu świątobliwych niewiast, swoich przyjaciółek.

Oddalił się także Judasz, ujrzawszy Jezusa prowadzonego przez żołnierzy.

„Oto" – myślał – „wszystko się skończyło. Wydał Jezusa Jego wrogom".

Czemu więc nie czuł żadnego zadowolenia?

Odtwarzał w pamięci chwilę aresztowania.

„Przyjacielu" – przywitał go smutno Jezus. – „Witaj, przyjacielu".

Wydawało mu się, że dostrzegł łzę w oczach Nauczyciela i nie mógł o niej zapomnieć. Wszystkie jego myśli zdawały się topić w tej łzie niczym w morzu goryczy.

Tymczasem Jezusa zaprowadzono do Kajfasza.

„Dobrze" – myślał zadowolony arcykapłan. – „Oto ten słynny Jezus".

Jezus bez trudu dał się pojmać. Jego zwolennicy, których buntu Kajfasz tak się obawiał, w jednej chwili zniknęli, palcem nie ruszyli, by Mu pomóc. Może nie był wcale taki niebezpieczny, jak myślano.

Oprócz Kajfasza inni kapłani, wchodzący w skład Sanhedrynu, uczeni w Piśmie i faryzeusze podzielali jego radość.

Nareszcie pozbędą się tego Człowieka, który ciągle ich oskarżał, podburzając lud przeciwko nim.

„Skazać na śmierć"– przysięgali sobie. – „Trzeba Go skazać na śmierć!"

Bali się Go i był to jedyny sposób, by się od Niego ostatecznie uwolnić.

Kajfasz szukał dostatecznego powodu, by Go skazać. Zaczęto przesłuchiwać wielu świadków, lecz ich oskarżenia, często jawnie fałszywe, nie usprawiedliwiały kary śmierci.

Nareszcie stawił się człowiek, który, wskazując na Jezusa, mówił z obrzydzeniem:

– On powiedział, że jest zdolny do zburzenia świątyni Bożej i odbudowania jej w trzy dni! – oskarżał.

Było to straszliwe bluźnierstwo. To tak jakby ten Nieszczęśnik śmiał nazwać siebie Bogiem Wszechmogącym. Bo tylko Bóg Wszechmogący mógłby zburzyć i odbudować w ciągu trzech dni świątynię w Jerozolimie, dumę całej Judei, a nawet całego Izraela.

– Tak rzekłeś? – spytali Go. – Naprawdę wypowiedziałeś tak wielkie bluźnierstwo?

Jezus nie odpowiadał. Czuł się samotny, na próżno szukał w tłumie jakiejś przyjacielskiej twarzy. Nienawiść wrogów, ich zaciekłość raniły Go tak mocno, jak ta samotność.

– Naprawdę mówiłeś, że jesteś Synem Bożym? – przynaglał Kajfasz.

– Tak – odrzekł Jezus. – Jestem Synem Bożym.

Jak mógłby odpowiedzieć inaczej?

Arcykapłan poweselał. Łatwiej było, niż przewidywał, udowodnić winę Jeńca.

– Bluźni! – krzyknął, targając na sobie szaty, by pokazać, jaki jest zgorszony i obrażony. – Nie ma więc potrzeby przesłuchiwania pozostałych świadków, wszyscy słyszeliśmy to bluźnierstwo.

– Zasługuje na śmierć! – chórem krzyknęli pozostali.

Bluźnierstwo w tamtych czasach karane było śmiercią. Jezus czuł, jak nienawiść tych ludzi, niczym przypływ morza, zalewa Go. Nie bronił się, nie wyrzekł nawet słowa i ten spokój jeszcze bardziej drażnił Jego wrogów.

Obrzucali Go straszliwymi obelgami, pluli na Niego, bili po twarzy.

Biedny Jezus! Stał nieruchomo, bezbronny. Może zadawał sobie pytanie, czym zawinił, czemu ludzie tak strasznie Go nienawidzą?

Jedyną Jego winą było to, że ich kochał.

W sercu zdrady

Piotr i drugi apostoł, Jan, śledzili Jezusa z oddali. Było zimno i żołnierze rozpalili ognisko w podwórzu domu Kajfasza, by się ogrzać.

I Piotr zbliżył się do ognia. Było mu zimno, bardzo zimno i smutno w sercu.

– Jesteś przyjacielem tego uwięzionego Człowieka, prawda? – zapytała go jakaś kobieta. – Jesteś przyjacielem tego Nazarejczyka.

– Ja? – Piotr udał zdumienie. – Co ty opowiadasz? Kto Go tam zna, tego Człowieka!

Wkrótce potem ktoś inny, przyglądając mu się w blasku ognia, powtórzył to samo pytanie.

– Jesteś jednym z przyjaciół Jezusa, prawda?

Piotr zaprotestował ze złością.

– I ty też powtarzasz te głupoty. Co wam przyszło do głowy? Nigdy nie byłem przyjacielem tego Człowieka!

Jeden z żołnierzy jednak go rozpoznał.

– Przestaniecie wreszcie powtarzać te bzdury! – krzyknął z wściekłością. – Nie znam tego Człowieka, nigdy nie miałem z Nim do czynienia!

W tejże chwili, pośród rozświetlającej się brzaskiem nocy, dało się słyszeć wyraźne pianie koguta. „Kukuryku!"

„Zaprzesz się mnie trzy razy, nim kogut zapieje" – przemówił w sercu Piotra głos Jezusa.

„O, nie!" – zaczął rozpaczać w cichości – „nie!" Uciekł daleko od tego podwórza, od ognia, daleko od Jezusa i od tego zaparcia się.

Ale przecież tak naprawdę chciał uciec od siebie samego – egoisty, tchórza i niewdzięcznika, który opuścił i zaparł się Jezusa w potrzebie.

Naraz zatrzymał się i gorzko zapłakał.

Nie ma przebaczenia

Rozeszła się wieść, że Sanhedryn bezlitośnie skazał Jezusa na śmierć.

Następnego ranka więzień miał stanąć przed Piłatem, rzymskim namiestnikiem. W Judei bowiem wyrok śmierci nie był ważny, dopóki nie podpisał go namiestnik rzymski, przedstawiciel władzy.

Judasz też się o tym dowiedział. Błąkał się ulicami Jerozolimy i nie mógł znaleźć spokoju. Na każdym rogu zdawało mu się, że widzi Jezusa, tę łzę w Jego oczach. Nauczyciel umrze, zabiją Go, a on był odpowiedzialnym za tę śmierć.

„Dlaczego Go zdradziłem?" – pytał sam siebie Judasz. Wspominał pierwsze spotkanie z Jezusem, kiedy to ogarnęło go pragnienie, by za Nim pójść, by na zawsze z Nim pozostać. Jak był dumny i szczęśliwy, gdy Jezus włączył go w poczet swoich dwunastu najserdeczniejszych przyjaciół!

„Nie zrobił mi nigdy nic złego" – rozpaczał Judasz.

Im więcej zastanawiał się, tym bardziej nie znajdował niesprawiedliwości w postępowaniu Jezusa względem swojej osoby. Pamiętał podróże przez Galileę, rozmowy, modlitwy, wspólnie dzielone zmęczenie. Jakże były spokojne te wieczory przy ogniu, gdy słuchało się przemawiającego Jezusa.

Słyszał Jego głos i słowa, które powiedział w Getsemani.

„Witaj, przyjacielu" – tak powiedział. Nazwał go przyjacielem nawet w godzinie zdrady.

Oszalały z bólu Judasz udał się do świątyni, do kapłanów, którzy zapłacili mu za zdradę Jezusa.

– Nie chcę waszych nieczystych pieniędzy! – krzyknął, rzucając monety na ziemię. Ci spojrzeli na niego bez cienia zmieszania. Judasz wykrzyczał swoje wyrzuty sumienia, swoją wielką rozpacz.

– Zdradziłem Niewinnego. Nie chcę tych pieniędzy!

– To twoje zmartwienie, nie nasze – podsumował chłodno jeden ze starszyzny. – Musisz sam sobie poradzić.

Judasz wiedział; nikt nie mógł mu pomóc. Tylko Jezus mógłby tego dokonać. Nazwałby go „przyjacielem" i wtedy Judasz położyłby na ramieniu Jezusa tę swoją pomyloną głowę, która pulsowała od bólu, i znalazłby ukojenie.

Lecz Jezus był w więzieniu z jego winy, bo to on zdradził! Zabiją Go rankiem, przez niego!

– Nie! – krzyknął Judasz pośród nocy.

Jak zniesie ciężar zdrady, życia bez Jezusa, tej łzy, którą ujrzał w Jego oczach? Jak zniesie ciężar siebie samego?

W pośpiechu wziął sznur i powiesił się na gałęzi drzewa, myśląc ciągle i na zawsze o Jezusie.

Nie tak prosi się Jezusa o wybaczenie!

– Biedny Judasz! – lituje się Piotruś. – Ale nie-ładnie się zachował; nie zdradza się takiego przy-jaciela jak Jezus!

– Przyjaciół nigdy się nie zdradza – stwierdzam z poważną miną.

– Tak, wiem – przyznaje – ale czasami, gdy cię rozzłoszczą... Takiego przyjaciela jak Romek, tego co w zeszłym roku na plaży zabrał wyłowioną przeze mnie meduzę, można zdradzić, jak myślisz?

– Nie. Zdrada jest złym uczynkiem.

Piotruś zastanawia się, potem mówi coś takiego, że aż podskakuję.

– Ja też bym się powiesił, gdybym zdradził Jezusa.

– Zwariowałeś! Samobójstwo to jeszcze gorszy czyn od zdrady. Judasz przysporzył Jezusowi dodat-kowego bólu.

– Powiesiłbym się na szyi Jezusa – tłumaczy mi. – Wtedy Jezus na pewno by mi wybaczył.

Przez chwilę nie mogę ze wzruszenia wymówić ani jednego słowa.

– Może mimo to wybaczył mu. Jezus może uczy-nić wszystko.

– To prawda, może uczynić wszystko.

Zamyka oczy, ale po paru minutach znów zaczy-na mówić, a głosik ma taki cieniutki.

– Babciu, bardzo cię proszę, jako że Jezus może uczynić wszystko, poproś go bardzo, żebym mógł natychmiast zasnąć dziś wieczorem.

Ściska mi rękę i cichutko się zwierza:

– Wiesz, trochę się boję tego Judasza.

Jezus i Piłat

Następnego ranka zaprowadzono Jezusa przed Piłata, rzymskiego namiestnika.

– To jest złoczyńca – krzyczał tłum. – Musi być skazany na śmierć!

Piłat zmieszał się: ten łagodny Człowiek, który smutno na niego spoglądał, nie przypominał złoczyńcy!

– Jakie przestępstwa popełnił? – chciał wiedzieć.

– Bluźnił! – oskarżano Go.

Kapłani obawiali się, że przewinienie to okaże się mało ważne dla cudzoziemca, jakim był Piłat.

– Podburza lud przeciwko Rzymianom – wymyślili na poczekaniu. – Chce zająć miejsce Cezara. Twierdzi, że to On jest królem Żydów.

– Czy jesteś naprawdę żydowskim królem? – zapytał Piłat Jezusa.

– Ty to mówisz – odrzekł Jezus.

Piłat czuł, że ten Więzień nie był przestępcą. Chciał Mu pomóc, ale nie wiedział jak. Bał się wrogości tłumu, z którego buchała nienawiść do Jezusa.

Przyszła mu pewna myśl do głowy: do Jerozolimy przybył Herod, tetrarcha Galilei, postanowił, że do niego odeśle tego Człowieka.

– Jesteś z Nazaretu, prawda? – spytał Jezusa. – Odeślę Cię do Heroda, on Ciebie osądzi.

Zadowolony z decyzji, odesłał Więźnia do Heroda.

Jezus przed obliczem Heroda

Herod znał Jezusa jedynie ze swych koszmarów, kiedy, wiedziony wyrzutami sumienia, myślał, że to zmartwychwstały Jan Chrzciciel.

Poczuł się uspokojony, gdy ujrzał Go bezbronnego, wychudzonego i przegranego.

Tysiące razy słyszał o cudach, jakie czynił, więc poprosił Go, by jakiś uczynił.

– Jesteś Jezus, słynny Nazarejczyk – rzekł Mu. – Pokaż i mnie swą moc, uczyń przede mną jakiś cud.

Jezus nie odezwał się ani słowem.

– No, pokaż mi swą moc – nalegał Herod. – Pokaż mi, co potrafisz.

Spotykał się tylko z milczeniem Jezusa i to milczenie drażniło go.

— Naprawdę jesteś żydowskim królem?

To pytanie również odbiło się o mur milczenia. Herod poczuł złość na tego Więźnia, który ośmielał się milczeć, gdy król Go pytał.

Szydził z Niego, zachęcając swych żołnierzy do tego samego. I tak założyli Jezusowi szaty królewskie, potem śmiali się z Niego, bo nic królewskiego w sobie nie miał. Wyglądał jak ostatni łachmaniarz, a nie jak żydowski król!

W tym stroju Herod odesłał Więźnia do Piłata, a cały dwór śmiał się z Niego.

Podłe tchórzostwo

Plan nie powiódł się, Więzień znów stał przed nim i Piłat speszył się. Poza tym jego sługa, dosłownie przed chwilą, przyniósł mu dziwne polecenie od żony. Żona upominała go, by potraktował tego Więźnia sprawiedliwie, gdyż Jezus przyśnił się jej i w tym śnie okrutnie cierpiała z Jego powodu.

Piłat był przesądny i nie wiedział, co ma robić. Chciał uratować tego Biedaka, lecz nie chciał też rozdrażnić tłumu.

Przyszła mu inna myśl do głowy. Każdego roku na święto Paschy miał w zwyczaju uwalniać jednego więźnia.

Tym razem wybrał groźnego Barabasza, złoczyńcę znanego z okrucieństwa, którego skazano za poważne przestępstwa, zabójstwa i rabunki, by przeciwstawić go Jezusowi.

— Kogo chcecie, żebym uwolnił, Jezusa czy Barabasza? — zwrócił się do tłumu.

— Barabasza! — odrzekli szybko kapłani i faryzeusze.

– Barabasza! – odpowiedział tłum echem...

Woleli złodzieja, przestępcę, groźnego mordercę od Jezusa z Nazaretu.

– Co mam zrobić z Jezusem?

– Na krzyż z Nim! Na krzyż!

– Co złego uczynił?

Tłum zaczął krzyczeć bez ładu i składu. I tylko w tym tumulcie słychać było wyraźnie słowa:

– Na krzyż z Nim! Na krzyż!

– Więc weźcie Go i ukrzyżujcie – rzekł Piłat do Żydów.

– Nie możemy, tylko Ty, możesz skazać Go na śmierć.

Wtedy Piłat poddał się. Przedtem jednak wziął dzban pełen wody i tą wodą manifestacyjnie przed tłumem umył ręce.

– Jestem niewinny krwi tego Sprawiedliwego – obwieścił zebranemu wokół tłumowi.

– Niech krew Jego spłynie na nas i na głowy synów naszych – odparł tłum w głuchym pomruku.

Wzrok Piłata spotkał się ze spojrzeniem Jezusa; szybko jednak Piłat odwrócił głowę. Czuł może, że to, co zrobił, przejdzie do historii jako najpodlejszy przykład tchórzostwa.

Wielka porażka

Los Jezusa miał się dopełnić. Kto wie, ile łez wylała Jego mama.

Może stała w tym bezładnym tłumie. Może to jej drżący głos, na pytanie Piłata „Jezusa czy Barabasza?", odpowiedział: „Jezusa, Jezusa!". Lecz wiedziała, że nic nie może zrobić, by odwrócić los, by poradzić coś na tę miłość do ludzi, przez którą Jezus miał umrzeć.

Miłość ta zatrzymała Jezusa pośród tłumu żołnierzy. Szydzili z Niego.

– Oto żydowski król! – wyśmiewali Go.

Kilku z nich uplotło koronę cierniową i włożyło Mu na głowę z taką siłą, że ciernie przebiły Mu skórę i czoło Jezusa pokryło się kroplami krwi.

W prawą rękę włożyli Mu trzcinę jako symbol królewski i tą samą trzciną bili Go.

– Oto żydowski król! – powtarzali, choć tak naprawdę ten krwawiący, obdarty, wylękniony Człowiek, usiłujący osłonić rękami twarz przed razami, nie wyglądał na króla, lecz na najbardziej osamotnionego z ludzi!

Tego wieczoru, zanim rozpoczęłam opowieść o Jezusie, Piotruś wyjrzał przez okno.

– Babciu, popatrz – pokazuje – spada gwiazda!

Wprawdzie wygląda mi to na światełko samolotu, ale nie chcę go rozczarować.

– Możesz wypowiedzieć jakieś życzenie – namawiam. – Mówi się, że jeśli wypowie się jakieś życzenie, gdy gwiazda spada, spełni się ono.

– Co to znaczy wypowiedzieć życzenie?

– To znaczy chcieć czegoś, na przykład nowej zabawki albo żeby mama szybko wróciła. Może też być ten czerwony rower.

– Czy Bóg też może wypowiedzieć życzenie, kiedy spada gwiazda? – zadaje dziwne pytanie.

Skąd przychodzą mu do głowy takie pytania!

– Bóg jest Wszechmogący. W chwili, w której wypowiada jakieś życzenie, spełnia się ono.

– Wiesz, jakie jest życzenie Boga? – pyta. – Żeby wszyscy ludzie byli dobrzy.

Zaskakuje mnie; rzeczywiście, jest to jedyne życzenie, którego wszechmocna władza Boga nie może zrealizować. Bowiem stoi to w sprzeczności z wolnością, jaką nam dał.

– Jeśli spadnie jeszcze jedna gwiazda – proponuję – poprosimy, żeby spełniło się życzenie Boga.

Patrzymy długo z niepokojem w nocne niebo.

I nic. Gwiazdy wydają się przymocowane do nieba. Nawet jedna maluteńka nie spadnie.

Pod ciężarem krzyża

Był piątkowy ranek, gdy procesja wyprowadziła Skazańca na miejsce kaźni.

Celem była Golgota, niewielkie wzniesienie za Jerozolimą. Jezus szedł z trudem pod ciężarem krzyża.

Ciało miał poranione od biczowania, z każdym krokiem korona cierniowa wbijała Mu się boleśnie w czoło. Twarz była maską krwi, kurzu, łez i potu.

Jego przyjaciele rozpłynęli się. Spośród wszystkich, którzy Go wielbili, pozostała zaledwie niewielka grupka kobiet, wśród których była naturalnie Maria, Jego matka.

Nieszczęsna śledziła proces i skazanie na śmierć. Czuła na swym ciele razy od bicza, a na czole ukłucia cierni. Widziała Jezusa o parę kroków od siebie i zastanawiała się, jak jest w stanie wytrzymać tę całą mękę. Podtrzymywał ją Jan, najmłodszy apostoł, najdroższy Jezusowi.

Razem z Jezusem wspinali się na wzgórze pozostali dwaj więźniowie, dwaj bandyci, którzy mieli ten sam wyrok.

Jezus zachwiał się. Żołnierze pewnie pomyśleli, że nie dojdzie żywy na miejsce ukrzyżowania. Zatrzymali więc człowieka, niejakiego Szymona z Cyreny, który przypadkowo tamtędy przechodził. Może dlatego, że było to w przeddzień święta, zakończył wcześniej niż zwykle pracę w polu i wracał właśnie do domu.

– Ty ponieś ten krzyż! – rozkazali mu żołnierze, on zaś spojrzał na nich wystraszony.

Przeklinał swój pomysł, żeby wracać tą drogą. Zmarnowane całe święto!

Skazany odetchnął na chwilę. Może nawet z popękanych, suchych warg wydobyło się słabe „dziękuję". W Jego zamglonych oczach błysnął promień uśmiechu.

W głębi serca Szymon z Cyreny poczuł, jak ten Człowiek strasznie cierpi i pomyślał, że jest On niewinny. Był nawet zadowolony, że ich drogi skrzyżowały się i że w ten sposób mógł Mu pomóc.

Jezus wybacza swoim nieprzyjaciołom

W końcu smutny pochód doszedł na sam wierzchołek wzgórza; było prawie południe i trzej skazańcy mieli zostać ukrzyżowani.

Odgłos pierwszego uderzenia młotka, który przybijał dłoń Jezusa do krzyża, rozległ się w powietrzu mrocznym echem. Potem drugie uderzenie, drugi gwóźdź. Jezus zacisnął usta, zdusił krzyk bólu, który rozdzierał Mu serce. Krzyż został postawiony. Na prawo i na lewo od Jezusa postawiono krzyże dwóch rzezimieszków.

Kapłani, żołnierze, faryzeusze i uczeni w Piśmie, wszyscy przechodzący obok krzyża, szydzili z Jezusa.

– Żydowski król! – wyśmiewali się, wskazując na cierniową koronę na Jego czole. – Ty, co potrafisz zniszczyć świątynię Bożą i odbudować ją w ciągu trzech dni, uratuj się!

Nie chcieli stracić ani chwili z tego spektaklu, z cierpienia skazanych, i nie odrywali wzroku od biednej twarzy Jezusa, wykrzywionej z bólu.

– Synu mój! Umiłowany mój Synu! – szlochała Maria u stóp krzyża, bezsilna, śmiertelnie zraniona.

Miecz, który tyle lat temu był jej przeznaczony, teraz przebijał jej serce. Nie zabijał jej jednak, choć tysiąc razy wolałaby umrzeć wraz z Nim.

Jezus z wysoka patrzył na wszystkich, udręczony z powodu rozpaczy matki, a także nienawiści swych wrogów. Lecz nawet w chwilach tych niewypowiedzianych cierpień czuł miłość i ogromną litość dla tych ludzi, którzy nic nie zrozumieli z Jego nauczania.

„Ojcze" – modlił się ostatkiem sił – „wybacz im, gdyż nie wiedzą, co czynią".

Jeden z dwóch rzezimieszków ukrzyżowanych obok Niego, przemówił ze złością.

– Jeśli naprawdę jesteś Synem Bożym, pokaż to, do licha – zaklął – uratuj siebie i nas.

Posłyszał to drugi łotr.

– Zamilcz! My popełniliśmy mnóstwo przestępstw i zasłużyliśmy na tę karę. Natomiast ten nieszczęśnik jest niewinny, rozumiesz? Nie uczynił nic złego.

Spróbował odwrócić głowę do Jezusa.

– Panie, pamiętaj o mnie, kiedy znajdziesz się w Twoim królestwie – poprosił. Słabo, z trudem Jezus skinął głową.

– Dziś wieczorem będziesz wraz ze Mną w raju – rzekł.

Jeszcze jeden dar Jezusa: mama

Być może Maria usłyszała obietnicę Jezusa. Może zazdrościła rzezimieszkowi, że podzieli los Syna i od tego wieczoru będzie z Nim już na zawsze. Zapłakała, a wtedy Jan, umiłowany uczeń Jezusa, który stał nie opodal, czułym i zdecydowanym gestem objął ją i przytulił. Jak przez mgłę cierpiący Jezus ujrzał ich objętych. Wskazał na Jana.

– Niewiasto – rzekł jej – oto syn twój.

Potem rzekł do Jana:

– Oto matka twoja.

Maria zrozumiała. Jej umierający Syn pozostawiał miłość w spadku: oto powierzał jej wszystkich ludzi.

Poczuła, jak ciążą jej w sercu zgryzoty wszystkich ludzi świata od pradawnych czasów; to sprawiło, że łatwiej mogła znieść cierpienie, że jej jedyny Syn umiera.

– Dzieci moje – zapłakała wzruszona i w duszy wzięła w ramiona całą ludzkość – pomogę wam i pocieszę was, nie zostawię samych.

Cierpienia bez końca

Cierpienie było tak ogromne, że każda minuta zdawała się całym wiekiem.

– Pić – poskarżył się w pewnej chwili Jezus.

Pod krzyżem stał dzban pełen octu. Jeden z żołnierzy zamoczył w nim gąbkę, nadział ją na kij i uniósł do spękanych i krwawiących warg Jezusa.

Lecz torturom nie było końca.

– Ojcze – wezwał cicho – gdzie jesteś?

Nie słyszał Go, nie widział Go, wyglądało to tak, jakby ciemna chmura zakryła przed Nim obraz Boga. Nieobecność Boga w tej tragicznej godzinie stanowiła najgorszą torturę.

Czuł się opuszczony, przegrany z powodu niewdzięczności tych ludzi, za których umierał, i z Jego udręczonego serca wyrwał się okrzyk:

– Ojcze, Ojcze, czemuś Mnie opuścił?

I w tym momencie miłość i tęsknota Syna sprawiły, że Ojciec odpowiedział. Był tam, razem z Nim, podtrzymywał ramiona krzyża, cierpiąc takie same jak On tortury.

– Ojcze – rzekł doń Jezus pełen ufności – powierzam Ci moją duszę.

Spuścił głowę i umarł.

Godzina cudów

Była trzecia po południu. Słońce pociemniało. Mroczna, niewytłumaczalna noc okryła ziemię. Skały wybuchły, rozbijając się na tysiące małych kawałków, ziemia zadrżała, niczym śmiertelnie zraniona. Otworzyły się niektóre groby, a zasłona w świątyni rozdarła się na dwie części. Kamienie dziwnie grzmiały.

Na Golgocie wszyscy z przerażeniem obserwowali te zjawiska. Nikt się już nie śmiał.

Jeden rzymski setnik, wiedziony impulsem, uklęknął pod krzyżem i uniósł wzrok, by przyjrzeć się Jezusowi.

– On był naprawdę Synem Bożym! – wykrzyknął.

– Był Synem Bożym, ale był też moim Dzieckiem – płakała Maria. – Był moim ukochanym Synem.

Jan postanowił, że nigdy jej nie opuści, zabierze ją do swojego domu. Delikatnie próbował podnieść ją z ziemi, do której jakby na stałe przygwoździł ją ból.

Tymczasem wypowiedziane przez setnika słowa odbijały się tysiąckrotnym echem po ulicach Jerozolimy.

„Był naprawdę Synem Bożym".

Wielu uciekło w panice, szukając schronienia we własnych domach, goniły ich wyrzuty sumienia i strach. Powietrze zdawało się drżeć z przerażenia; dziwne i tajemnicze wydarzenie dokonywało się na wzgórzu, niedaleko Jerozolimy.

Jezus pogrzebany

Ciało Jezusa zostałoby wrzucone do wspólnego grobu, jak to się działo z ciałami skazanych na śmierć, gdyby nie wstawiennictwo niejakiego Józefa z Arymatei.

Był on prawdopodobnie członkiem Sanhedrynu, który poznał Jezusa i był pod Jego wrażeniem.

Ukrył swój podziw ze strachu przed Judejczykami. Ale ukrzyżowanie wydało mu się czynem niesprawiedliwym i okrutnym, teraz więc chciał coś uczynić dla Jezusa.

Miał on pusty grobowiec, w ogrodzie niedaleko Golgoty. Udał się do Piłata i poprosił go o pozwolenie na pochowanie tam Jezusa.

Piłat zgodził się. Spotkanie z Jezusem, proces, skazanie bardziej go przejęło, niż to okazywał. Jego żona nie przestawała płakać, odkąd Człowiek ten został skazany.

Chciał o Nim zapomnieć i położyć kres temu wydarzeniu, które wywołało w nim smutek i niepokój.

Józefowi pomagały w tym miłosiernym uczynku świątobliwe niewiasty oraz Nikodem, kolejny członek Sanhedrynu, równie bogaty i znany.

Także Nikodem potępiał skazanie Jezusa.

Polecili sługom, by zdjęli to biedne Ciało z krzyża, następnie namaścili Je cennymi wonnościami.

Jezus był cały w ranach, siniakach, zakrzepłej krwi.

Józef z Arymatei może nawet nie oparł się pokusie, by nie pogłaskać Jego twarzy, zanim zawinęli Jezusa w białe płótno. Grób zamknęli olbrzymim kamieniem.

Tymczasem niektórzy Judejczycy, obawiając się zmartwychwstania Jezusa, które parokrotnie przepowiadał, udali się do Piłata, przedstawiając mu swe wątpliwości.

– Rozkaż ustawić straże przed grobem – poradzili.

– Jego przyjaciołom może przyjść do głowy zamiar wykradzenia ciała, aby wszyscy uwierzyli, że zmartwychwstał.

Piłat zdenerwował się:

„Czy nigdy nie przestaną prześladować tego Człowieka?"

– Róbcie, co chcecie – rzekł sucho. – Macie chyba swoje straże. Rozkażcie im, co chcecie.

Ale obecność straży okazała się nieskuteczna: cud, który Jezus przepowiedział, i tak się dokonał.

Jezus zwycięża śmierć

kto by przypuszał, że nawet uczniowie Jezusa zwątpią w swego Nauczyciela. Byli rozczarowani, przerażeni, rozproszyli się po różnych miejscach. Szczególnie zaś apostołów ogarnął przeraźliwy smutek. Choć nie potrafili okazać Jezusowi swojej miłości, umierając zabrał On ze sobą cząstkę ich serc. Minął jakiś czas, który wydawał się im nieskończenie długi.

Trzeciego dnia o świcie Maria Magdalena udała się do grobu. Jezus był dla niej wspaniałomyślny i bardzo Go kochała. Odwiedzić Jego grób, uklęknąć obok, to tak jakby przy Nim być. Podeszła do grobowca i aż ze strachu krzyknęła.

– Nie!

Olbrzymi kamień, który zamykał grobowiec, był odsunięty. Na ziemi leżały bandaże i prześcieradło, którym Jezus był owinięty, grób zaś był pusty.

Maria Magdalena z przerażeniem pomyślała, że ktoś wykradł ciało Nauczyciela. „Nie pozwalają nam nawet zapłakać nad Nim" – rozpaczała, biegnąc, by zawiadomić o tym, co się stało.

– Grób jest pusty! – krzyknęła. – Nie ma już Jezusa w grobie!

Apostołowie pobiegli do grobu i sami naocznie stwierdzili zniknięcie ciała Jezusa. Ich serca, podobnie jak ten grobowiec, były puste. Nikt z nich nie pamiętał obietnicy Jezusa, że zmartwychwstanie. Ich wiara była tak mała, że nie potrafili uwierzyć w tak wielki cud.

Maria Magdalena znów została sama. Patrzyła na pusty grób i przypominała sobie, jak masowała balsamem stopy Nauczyciela. Tęsknota za Nim sprawiła, że zaczęła płakać.

Lecz oto nagle pojawił się Człowiek i zapytał ją:
– Czemu płaczesz?
Uniosła twarz i spojrzała na Niego.
– Zabrali ciało Pana naszego.
Człowiek nie rzekł nic.
– Ty to zrobiłeś? Błagam cię, powiedz, gdzie Go ukryłeś, tak bym mogła na powrót Go tu przynieść.
Wtedy Człowiek ten rzekł do niej po imieniu.
– Mario!
Jakby ją piorun poraził. To był głos Jezusa, Jego niezapomniany głos przepełniony miłością.
– Nauczycielu!
Wyciągnęła do Niego ręce, pełna niedowierzania i szczęścia. Jezus uśmiechnął się do niej; miał promienny wzrok

i spokojną twarz.

– Nie zatrzymuj Mnie – rzekł, odsuwając ją z niewysło-
wioną łagodnością. – Biegnij lepiej do mych braci i powiedz,
że Mnie widziałaś. Nie jestem już wśród umarłych.

Maria pobiegła, śmiejąc się z radości.

– Widziałam Pana – krzyczała. – Powrócił!

Uczniowie słysząc, co mówi, patrzyli na nią w osłupieniu i z niedowierzaniem.

Marii było wszystko jedno, czy jej uwierzą. Widziała
Jezusa, naprawdę Go widziała. Na Jego twarzy nie malowała
się już rozpacz, Jego oczy błyszczały, przepełnione miłością.

Pokój z wami

Apostołowie znów byli razem. Zebrali się w ogromnej
sali; zaryglowali wszystkie drzwi w obawie przed Judejczykami. Za przyjaźń z Jezusem mogła dosięgnąć ich zemsta.

Byli wzburzeni i zaniepokojeni. Wydarzyły się dwie straszne rzeczy: Jezus został ukrzyżowany i Judasz powiesił się.

– Myślicie, że to prawda? – ośmielił się w końcu zapytać
jeden z nich.

Wszyscy zrozumieli, o czym mówi, tylko o tym myśleli.

– Inne kobiety opowiadały to samo, co Maria Magdalena
– rzekł któryś z nich. – Udały się do grobu Jezusa, ale grób
był pusty. Anioł obwieścił im, że Jezus zmartwychwstał!

– Mówił tak, pamiętacie?

– Ale to niemożliwe!

– I ci dwaj, co szli do Emaus, spotkali Go – mówił jeden
z apostołów. – Wrócili, by powiedzieć nam o tym. Nie mieli
wątpliwości: to był Jezus. Przełamał i pobłogosławił chleb.

Piotr westchnął i zamknął oczy.

– To byłoby piękne, gdyby było prawdziwe! Och... móc uwierzyć – marzyło jego chore, tchórzliwe serce, które cały czas nie mogło sobie wybaczyć, że zaparło się Nauczyciela.

– Pokój z wami – usłyszeli nagle głos Jezusa.

Piotr zerwał się na równe nogi, także pozostali powstali. Jezus powrócił: Jego oczy, Jego twarz, Jego uśmiech.

– To zjawa! – zadrżał jeden z apostołów.

Nie mógł to być Jezus, przecież nie żył.

– Nie jestem zjawą – zapewnił Jezus i wyciągnął dłonie, ramiona, żywe, pulsujące krwią.

– Panie – rzekł Piotr pełnym czci głosem.

Jezus uśmiechnął się, pobłogosławił wszystkich, tchnął na ich głowy swego Ducha.

– Idźcie i nauczajcie wszystkich ludzi, głoście im moją naukę; którym odpuścicie grzechy, są im odpuszczone.

W tym momencie Jezus ofiarował ludziom jeszcze jeden dar: sakrament spowiedzi, możliwość wyznania Bogu i Kościołowi swych grzechów i uzyskania przebaczenia.

Potem odszedł, a oni stali się pogodniejsi i silniejsi.

Jezus i Tomasz

– To nie może być prawda! Nie wierzę!

Tomasz, jeden z dwunastu apostołów, nie był obecny tego dnia, gdy Jezus się ukazał.

Chyba już po raz setny przyjaciele opowiadali mu to zdarzenie i po raz setny wciąż odpowiadał to samo.

– To niemożliwe!

– Ależ to prawda, wszyscy Go widzieliśmy.

– Zdawało się wam.

Tomasz przyglądał się szczęśliwym obliczom swych przyjaciół. Nie dowierzał im, miał w sobie zbyt mało wiary.

– Wszystko to wymyśliliście. Jezus zmarł i nie mogliście Go widzieć.

Opowiadano mu o strasznej męce Jezusa.

– Uwierzyłbym dopiero wtedy, gdybym mógł położyć rękę na Jego ranach, gdybym mógł ich dotknąć; wtedy uwierzyłbym, że wrócił! – krzyknął Tomasz.

Gdy osiem dni później Jezus powrócił, był przy tym także Tomasz.

– Pokój z wami – rzekł Nauczyciel pogodnym głosem.

– Panie, jesteś tu – uradowali się apostołowie.

Jedynie Tomasz nic nie rzekł. Stał nieruchomo jak kamień, nie mógł oderwać wzroku od twarzy Jezusa.

Jezus zbliżył się do niego, pokazał mu ramiona.

– Możesz dotknąć, jeśli masz ochotę – zachęcił. – Możesz położyć swe nieufne dłonie na moich ranach. Zrób to, a nie będziesz już wątpił, że wróciłem.

Tomasz poczuł się zrozpaczony, że zabrakło mu wiary.

Upadł na kolana, niczym rażony piorunem.

– Panie mój – oddał Mu cześć. – Panie mój! Boże mój!

– Uwierzyłeś, bo Mnie ujrzałeś – zganił go łagodnie Jezus. – Błogosławieni, którzy nie widzieli, a uwierzyli!

To błogosławieństwo Jezusa dotyczyło wszystkich ludzi wszystkich czasów. Dotyczyło wszystkich chrześcijan, którzy wierzą w Jego miłość.

Ostatnie spotkanie

Spotkanie ze zmartwychwstałym Jezusem zmieniło serca apostołów.

Przedtem byli słabi, teraz stali się silni, napełnieni wiarą, nie zaś wątpliwościami; stali się miłosierni, a przedtem byli nieczuli i egoistyczni. Teraz gotowi byli poświęcić nawet życie za Jezusa.

Tym zupełnie nowym ludziom Jezus rzekł, że będzie na nich czekał w Galilei.

Z jakim wzruszeniem powracali teraz do tych pełnych wspomnień miejsc!

Jezus oczekiwał ich na górze, na której się z nimi wcześniej umówił.

– Oto i On! Nasz Nauczyciel! – ujrzał Go jeden z nich, choć byli jeszcze daleko.

– To On! To On! – przekrzykiwali się wzajemnie.

– Czeka na nas! – radowali się.

Pobiegli do Niego, uszczęśliwieni jak dzieci, niecierpliwi, by znaleźć się jak najszybciej obok Niego, tak bardzo się za Nim stęsknili.

Jezus spoglądał na nich z dumą. Nareszcie wydorośleli, myślał z rozbawieniem i czułością. Nie będą się już kłócić o to, który z nich jest ważniejszy czy bardziej kochany. Teraz już by Go nie opuścili.

Spojrzał czule na Piotra, który, choć był zasapany, nie zwolnił biegu.

Nie wyparłby się Go następnym razem, był tego pewny! Biedny Piotr!

Zdrada, jakiej się dopuścił tej koszmarnej nocy, zadała mu więcej cierpień, niż przysporzył ich nią Jezusowi.

Dobiegli wreszcie. Jezus bacznie się im przyjrzał, każdemu po kolei.

Byli dumni, zdecydowani, odpowiedzialni, sprawiedliwi, miłosierni i silni. Takim mógł powierzyć swój Kościół. Mieli dość silne ramiona, by udźwignąć cierpienia, jakich dostarczy im miłość do Niego.

Stanął pośród nich niczym pasterz pośród stada.

– Daną mam wszelką władzę w niebie i na ziemi – oznajmił. – W imię tej władzy mówię wam, byście szli na cały świat i nauczali wszystkich ludzi, a także chrzcili ich w imię Ojca i Syna, i Ducha Świętego.

W oczach ich mignął cień dawnej słabości, może obawa, że nie podołają zadaniu, jakie powierzył im Jezus.

Jezus uściskał ich po kolei, uśmiechnął się do każdego. Ten uścisk i uśmiech zachowali w sercach na zawsze niczym wieczny dar.

– Będę z wami przez wszystkie dni, aż do końca świata – obiecał, oni zaś poczuli się uspokojeni, silni, niezwyciężeni, pełni wiary i miłosierdzia. Teraz już Jezus podróżował z nimi wszędzie.

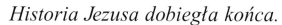

Historia Jezusa dobiegła końca.

Dobrze wyliczyłam czas: mój syn i synowa dziś wracają z podróży.

Piotruś jest niezwykle podniecony od rana, gdy tylko się przebudził. Gdy ich ujrzał, mało nie oszalał z radości.

Uściski, wrzaski, prezenty, okrzyki, pytania, opowiadania i niecierpliwość, z jaką chce już odejść, zostawić mnie, wrócić do swego życia, sprawiają mi nieomal przykrość.

– Już, chodźmy – wciąż nalega, usiłując ciągnąć ojca za rękę.

– Zostańcie jeszcze chwilkę – bardzo proszę.

– Nie, ja chcę iść, nie chcę tu dłużej być – trzeba poukładać nowe zabawki, przywitać się ze starymi.
– Chcę iść do mojego domu! – krzyczy.

– Podziękuj babci – każe mu syn surowym tonem.

– Dziękuję.

– Pocałuj babcię – zachęca go synowa.

– Ojej!

Pospieszny pocałunek i już go nie ma. I od razu pusto dookoła.

Próbuję wytłumaczyć sobie, że dziecko plączące się pod nogami to wielki kłopot.

Bóg wiedział, co czyni, gdy zdecydował, że dzieci można mieć tylko wtedy, gdy jest się młodym.

„Mogę i ja powrócić do swego życia" – pocieszam się nieskutecznie, starając się nie myśleć, jak bardzo mi brak małego.

Ale wieczorem, gdy nadchodzi pora naszych długich opowieści o Jezusie, nie mogę wytrzymać. Idę do jego pokoiku, siadam obok łóżeczka i zbiera mi się na płacz.

Nie mam nawet czasu, by się porządnie rozpłakać, gdy dzwoni telefon.

– Halo! – podnoszę słuchawkę.

– Chcę opowieści o Jezusie – płacze w słuchawce głos Piotrusia. – Opowiesz, babciu?

– Jak, przez telefon?

– Nie możesz przyjść do mnie?

– Nie, skarbie, jest późno. Już noc.

– Ale ja chcę!

– Czemu nie poprosisz mamy? Na pewno też ją umie doskonale opowiedzieć.

– Ale mi się nie podoba.

Moja synowa wyrywa mu z rąk słuchawkę.

– Babciu – pyta – coś ty narobiła? Ten mi tu płacze, że chce takiej samej opowieści jak twoja.

Rzeczywiście, słyszę płacz Piotrusia.

– Nie umiesz tak jak ona.

Włącza się mój syn.

– Może ja ci opowiem? – pyta go.

– Nie! – wrzeszczy mały. – Chcę, żeby babcia mi opowiedziała!

Teraz mój syn wziął słuchawkę i mówi do mnie.

– Piotruś chce posłuchać o Jezusie, ale żeby było tak jak z babcią. Jak ty mu to opowiadałaś?

Udaję, że mi przykro. Tak naprawdę czuję się niesłychanie dumna i bardzo szczęśliwa.

– *Widać jest zmęczony i zdenerwowany – tłumaczę. – Jest podekscytowany waszym powrotem.*

– *Ja chcę opowieści babci! – rozpacza Piotruś.*

– *Dosyć tego! – ucisza go moja synowa.*

– *Jeśli nie przestaniesz płakać, zabiorę ci wszystkie prezenty, jakie ci przywiozłem! – grozi mój syn.*

Piotruś ciągle szlocha, niewzruszony tym. Czy to źle, że odczuwam zadowolenie?

– *Czemu nie opiszesz tej historii, używając takich samych słów, jakimi mu ją opowiadałaś? – proponuje żartobliwie mój syn.*

– *Opisać?*

– *A wtedy, nawet gdy cię nie będzie, przeczytamy mu i przestanie płakać.*

– *To jest myśl!*

A więc namyśliłam się. I powstała „Ewangelia opowiedziana przez babcię".

Historia Jezusa, żydowskiego dziecka narodzonego dwa tysiące lat temu, której wysłuchał mój wnuk, Piotruś, współczesne dziecko.

176

Spis treści

„Wszystko, co jest prawdziwe..."